원자를 만지다

스핀

2권

원자를 만지다: 스핀. 2권

발 행 | 2024년 02월 05일
저 자 | 유종훈
펴낸이 | 한건희
펴낸곳 | 주식회사 부크크
출판사등록 | 2014.07.15.(제2014-16호)
주 소 | 서울특별시 금천구 가산디지털1로 119 SK트윈타워 A동 305호
전 화 | 1670-8316
이메일 | info@bookk.co.kr

ISBN | 979-11-410-7056-4

www.bookk.co.kr

원자를 만지다

스핀

2권

유종훈 지음

가르침을 주신 분들께

머리글

만약 내가 더 멀리 볼 수 있다면, 그것은 거인들의 어깨 위에 서 있기 때문일 것입니다. 아이작 뉴턴은 로버트 후크에게 보낸 1676년의 편지에서 그의 광학 발견을 정중하게 알렸다. 뉴턴이 그의 편지에 썼던 글귀는 과학 그리고 문명이 실제로는 전에 있었던 것에 조금씩 끊임없이 점점 더해져서 이루어진다는 사실에 바탕을 둔 내용이었다.[1)]

이 책은 약 2,400년 전 데모크리토스의 원자론부터 100년 전 보어의 원자모형을 거쳐서 최근 양자 얽힘에 이르기까지, 과학자들이 그려온 원자들의 진화 모습을 원래 논문들에 근거해서 깊숙이 추적한다. 과학이 우리 삶에서 매우 독특한 위치에 놓여서, 일상생활과 오랫동안 밀착되어 어우러져 이어진 과정을, 맨눈에 보이지 않는 원자들을 대상으로 이야기한다. 분광 기술, 반도체, 레이저, 자기공명 영상, 양자컴퓨터 등의 원자 시대에 들어서며, 우리는 자연에서 매우 작은 물체를 이해하고 미시 세계에 가까이 접근하는 새로운 생각의 틀을 이제는 갖추기 시작한다.

세상은 우주이고 세상에 있는 사물과 현상이 자연이다. 우주는 공간과 시간, 그 안에 있는 내용물을 모두 포함한다. 우주는 라틴어의 “유니버스”에서 유래했고 ‘모두’, ‘전체’, 또는 ‘집합’을 뜻한다. 인간의 행위로부터 생긴 사물과 현상은 제외하고, 생명체를 포함하여, 순전히 신 또는 우주 스스로 창조한 것만 자연에 속한다.

우주에서 작은 것부터 큰 것까지 무엇이 있는지, 그것들이 오늘날 어떻게 작동하는지, 과거에 어떻게 작동했는지, 미래에 어떻게 작동할는지 과학은 찾아내려고 몰두한다. 과학은 관찰과 실험을 통해서 우주를 배우는 과정이고, 우주에서 무슨 일이 일어나고 있는지 설명하기 위해서 적극적인 사고와 함께 증거를 즐겨 사용한다. 실험은 이론과 함께 지식을 쌓아 올리는 토대를 마련하여 과학에서 중요한 역할을 맡는다.

약 200년 전 시작한 산업혁명 이후, 동아시아에서 우리는 과학과 기술을 주로 유럽과 미국으로부터 제공받으며, 지식을 쌓고 계발하는 일에 많은 노력을 기울여 왔다. 과학 지식의 성장과 발달에서 항상 뒤따랐던 방식은 우리말 없이 외국어, 특히 영어와 한자로 된 도서, 교재, 논문 등을 읽으며 학문과 경험을 전달받는 형태였다. 이에 대해서 중국 출신의 미국 물리학자 샹켕 마(1940-1983) 교수는 *"기초 과학을 모국어로 가르쳐야 한다."* 주장하여 1977년과 1981년에 타이완 국립 칭화대학교에서 강의를 진행했고, 중국어로 쓴『통계역학』교과서를 출판했다.

외국어 일반 단어가 과학 용어로 사용되면, 그 의미가 바로 전달되지 않아 이해 속도가 뒤떨어지고 난해도가 증가하며, 과학이 다른 학문보다 생소하거나 까다롭게 느껴져서, 학생과 일반인은 그것을 오히려 적성 탓으로 연관 짓기도 한다. 최근에 들어오면서는 과학 용어를 순수한 우리글로 고치는 회의가 정기적으로 소집되고 있으며, 저자도 그런 노력을 따라서 우리글 표기를 뒤쫓는다.

이 책의 내용은 대학교 원자물리학 학부 교과서의 일부분이다. 그러나 저자는 독자들 모두에게 이 책의 내용을 완전히 이해하게 하려는 목표를 감히 갖고 있지 못했다. 자연은 아주 작은 미시적 크기의 물질에 매우 애매하고 익숙하지 않은 방법으로 작동되고 있어서, 인간이 *"도대체 어떻게 돌아가고 있는 거야?"* 말할 정도로, 처음부터 완전히 이해할 수 없도록 설계되어 있었다. 그러나 일상생활에서 매일 일어나는 익숙한 일들을 설명하는 여러 기본 개념(고전 물리학)이 막상 그 적용 범위를 좁혀서 미시 세계로 들어갔을 때는, 결국 실패한다는 것을 양자역학은 절대적이고 명확하게 보여 주었다.

브라이언 그린 교수는 '미시 세계'를 이해하는 필수 조건으로, 하나를 덧붙였다.[2)]

원자와 그 이하의 크기에서 자연을 이해하고 설명하기 위해서는, 우리 생각과 추리뿐만 아니라 언어까지도 반드시 바뀌야 한다.

과학자들의 연구가 설령 실패하더라도 그들의 생각과 경험이 모두 모아져서 다른 과학자들에게 전달되고 마침내 성공으로 이어진다는 진리는 앞으로도 끊임없이 계속된다. 그리고 성공한 과학자들은 함께 연구했던 동료들과 한편 서로 겨루었던 경쟁자들을 오직 대신하여 목표를 이루어냈을 뿐이라면서 영광을 겸허하게 받아들일 것이다.

2024년,
햇빛 아래 원자를 바라보며.

〈차례〉

00 서론

그리스 시인과 철학자 루크레티우스(기원전 99-55)는 순전히 추측이었겠지만 마치 실제로 보이는 듯 신기할 정도로 정확하게 '원자'의 존재를 그의 뛰어난 작품 『데 레룸 나투라(사물의 본성에 관하여)』에서 [3)]기술했다.

햇빛이 실내로 들어와 어둠을 비추면, 수많은 작은 입자들 여러 길에서 뒤섞이고, 허공에서 쉬지 않고 끝없이 움직이며, 어디나 만남과 헤어짐이 끊임없이 펼쳐진다.

햇빛 아래 이어지는 입자들이 추는 춤은, 물질에 감춰진 비밀과 움직임을, 사뿐히 나부끼며 바깥으로 불러낸다.

많은 이들 볼 수 있는 힘찬 충돌 보이지 않고, 입자들은 오가는 길 방향을 바꾸면서, 언제나 아무렇게나 이곳저곳 지나간다.

정처 없이 떠도는 입자들이 추는 춤은, 저절로 흔들리는 원자들의 자리에서, 언제나 너울너울 처음처럼 비롯된다.

맨 먼저 원자들이 그들 스스로 동요하고, 그다음에 원자들의 힘 가장 가까운 근처에서, 작게 뭉친 물체들이 움직이기 시작한다.

눈에는 보이지 않는 원자들의 충돌에, 작게 뭉친 물체들은 아무데나 달아나고, 이어서 조금 더 큰 물체들을 되받아서 공격한다.

원자들의 움직임이 점점 더 쌓이면, 우리들 눈높이에 가까이 다가와서, 보이지 않는 충돌이었지만 물체들이 비틀대며, 우리는 햇빛 아래에서 그들 모습 지켜본다.

루크레티우스가 묘사했던 공기에서 작은 먼지들의 움직임은, 1827년, 스코틀랜드 식물학자 로버트 브라운(1773-1858)이 물 위에 떠 있는 클라키아 풀첼라 식물의 꽃가루 알갱이를 관찰하던 중에 발견한 '브라운 운동'의 한 모형이었다. 루크레티우스가 맨눈에 보았던 공기 중 먼지 입자의 움직임은 고스란히 브라운이 현미경에서 관찰한 물 위 꽃가루 알갱이의 운동으로 바뀌어 자세하게 [4] 기술되었다.

초점길이가 32 분의 1인치(7.9/1000 밀리미터)인 이중 볼록렌즈 현미경이 사용되었고,...... 실험은 1827년 6월에 처음 시작되었다. 물에 담긴 입자들의 형태를 조사하는 동안, 나는 그들 중 많은 것들이 실제로 움직이는 광경을 관찰했다. 그들의 움직임은 유체에서 수시로 상대 위치뿐만 아니라 가끔씩 입자 자체의 형태 변화로도 나타났다. 입자의 한쪽 중앙에서는 오목 또는 곡선의 형태가 되풀이되었고, 반대쪽에서는 볼록 또는 부풀어진 형태가 동반되어 나타났다....... 그들의 움직임은 유체 흐름이나 증발 때문에 발생하지 않고 입자 자체에 속한 특별한 성질이었다. 움직이는 입자들 중에서 가장 작은 것, 내가 "활성 분자"라고 이름 붙인 것들은 크기가 2만 또는 3만 분의 1인치(0.84 또는 1.27 마이크로미터)였다.

브라운이 관찰했던 꽃가루 알갱이들의 움직임은 액체 분자들의 불규칙한 열운동 결과였다. 1905년, 알베르트 아인슈타인은 액체에 담긴 수많은 작은 입자들이 용매(물)에 포함된 용질(산소)의 분자들과 다르지 않다고 가정했고, 브라운 운동에서 드러난 입자들의 상대 위치 변화로부터 분자 크기(아보가드로 수)가 정확히 측정된다고 그의 [5]논문에서 밝혔다.

분자-운동 이론에 따르면, 액체에 떠있는 매우 작은 물체들은 분자들의 열운동으로 인하여 움직임이 점점 더 심해지고 현미경을 사용함으로써 쉽게 관찰되어 원자 크기의 정밀한 측정이 실제로 가능하다. 본 논문에서 논의되는 작은 물체들의 움직임은 소위 "브라운 분자 운동"과 동일하다....... 일정 시간 동안 이동한 입자들의 평균 거리(제곱평균제곱근)는 유체 온도와 점성도, 입자 크기, 아보가드로 수, 기체 상수에 의해서 결정된다. [1908년, 프랑스 물리학자 장 바티스트 페렝은 일정 시간 동안 입자들이 이동한 평균 거리를 관찰하여 아보가드로 수를 실제 값의 10퍼센트(0.4/6.03) 오차 범위 내에서 확인했다].

루크레티우스가 보았던, 그리고 브라운이 관찰했던 유체에서 입자들의 운동은 원자와 분자가 실제로 존재한다는 징조였다.

만약 지구대격변이 일어나서 과학 지식이 모두 파괴되고 오직 한 문장만 다음 세대에 전달된다면, 어떤 과학의 진리가 가장 짧은 글에 가장 많은 정보를 담아서 잘 전달될 수가 있을까? 리처드 파인만 교수는 대답했다.[6]

여러분이 그것을 무엇이라고 부를지는 잘 모르지만, 그것은 모든 물체가 원자들, 지속적으로 주위에서 움직이고 조금 떨어져서 서로를 밀치거나 끌어당기는 매우 작은 입자들로 구성된다는 '원자 가설' 또는 '원자 사실'이라고 저는 믿습니다. 이 한 문장에서 여러분

은 약간의 상상력과 사고력을 발휘한다면, 우주에 관한 엄청난 양의 정보를 알게 될 것입니다.

그리스 철학자 데모크리토스(기원전 약 460-370)는 원자를 설명했다.
모든 물체는 원자들이 모여서 구성되고, 원자보다 더 잘게 나눌 수 없으며, 원자들 사이에는 빈 공간이 있고, 원자들은 파괴할 수 없으며, 항상 움직이고, 크기와 모양이 다른 원자와 원자 종류가 무한히 많다.

06 원자핵 안을 보다

“화학자들은 복잡한 계산법을 갖고 있다. ‘하나, 둘, 셋, 넷, 다섯 양성자’ 라고 말하는 대신, ‘수소, 헬륨, 리튬, 베릴륨, 붕소’라고 말한다.”
-리처드 파인만 (미국 물리학자, 1985년).[7]

1815년, 영국의 화학자와 내과 의사 윌리엄 프라우트는 그동안 화학 원소 원자량에 근본이 되어 온 증거들을 오히려 훨씬 뛰어넘는, [8]“프라우트 가설”을 제시하여 훗날 원자 구성에서 물리적인 실마리를 마련해 주었다. 그는 많은 화학 원소들의 원자량이 거의 수소의 정수배로 늘어나며, 그래서 수소 원자가 화학 원소를 구성하는 기본 입자이고, 여러 화학 원소를 이루는 ‘처음 물질’이라고 판단했다. 그는 수소를 “[9]프로타일”이라고 불렀다. [프로타일은 그리스 어원의 “원시 물질”을 뜻한다].

프라우트가 작성한 화학 원소와 수소의 질량 비율은, 예를 들면, 수소에서 1, 탄소에서 12, 질소에서 14, 산소에서 16, 마그네슘에서 20, 염소에서 36, 포타슘에서 40, 요오드에서 124,...... 등으로 나타났다. 한편 욘스 야코브 베르셀리우스와 에드워드 터너는 수소에 대한 염소의 상대 질량이 35.4로 측정된 실험의 예를 들어서[수소 원자가 반으로 쪼개져야 가능한], 프라우트 가설의 오류를 강하게 주장했다. 영국 화학자 에드워드 터너(1796-1837)는 〈철학 연보〉에서 발표된 [10][11]논문에서 ‘프라우트 가설’에 관해 적었다.
—수소에 대한 화학 원소의 상대 질량이 적당한 근사 값의 정수

체계로서 의사들, 학생들, 제조업자들에게 사용되는 것은 허용되지만, 엄격한 과학적 사실에 근거하여 프라우트 가설은 인정되지 않는다.
—프라우트 가설의 진실성을 증명한 실험들이 부정확하다는 것을 확인했다.
—프라우트 가설이 사용되기 위해서는, 가설의 진실성을 밝히는 실험이 정확하다는 것이 반드시 검증돼야 한다.
—수소에 대한 화학 원소의 상대 질량이 일련의 단순한 숫자들로 표시되는 물리적인 원인을 아무도 부여하지 않았고, 그러한 관계는 아직까지 발견되지 않았다.

20세기에 들어오면서, 화학 원소에서 종종 나타난 프라우트 가설의 불일치는, 자주 동위원소의 존재 때문에 발생하는 것으로 확인되었다. 염소의 경우에 원자량이 35와 37인 동위원소가 3 대 1의 비율로 자연에 뒤섞여 있어서, 그 평균값이 35.5로 나타났다. 실제로 원자량이 35.5인 염소는 존재하지 않았다.

1914년, 영국 물리학자 헨리 모즐리는 원자번호에 기초해서 원소 주기율표를 완성했다. 원자에서 방출되는 엑스선 진동수의 제곱근이 어림잡아 원자핵 전하에 비례해서, 원자번호가 바로 '원자핵 기본 전하수數'라는 사실이 발견되었다. 원자핵 기본 전하수는 원자핵 전하를 [12]'기본전하 상수'로 나눈 수로서, 원자핵에 포함된 기본전하의 개수였다.
…원자에서 원자핵 전하는 기본전하 또는 수소 원자핵 전하의 정

수배로 존재한다.
…전자는 음성 기본전하이고, 수소 원자핵은 양성 기본전하이다.

"프라우트 가설은 사실이었을까?"

그 당시에 프라우트는 동위원소 또는 원자핵 결합 에너지를 몰랐고, 전자 또는 원자핵도 알지 못했다. 이러한 모든 것은 일백 년이 더 지나서야 알려졌다. 원자들은 더 작은 기본 단위(수소 원자)들로 구성되고, 그 기본 단위들은 모든 원자들에서 똑같고 오직 단위 개수만 다르다, 라는 프라우트 가설에서 과학자들은 원자들의 구성에 대해 또 다른 영감을 받는다.

6.1 원자핵에서 첫 번째 입자

보어의 원자모형이 영국과 유럽 대륙을 뒤흔들어 놓았던 1913년, 러더포드는 마즈든에게 수소와 같이 가벼운 원자에 대해서 마치 "구슬치기 놀이를 하듯이" 알파 입자의 충돌을 시험해 보라고 제안했다. 알파 입자가 무거운 원자들보다 수소와 같이 가벼운 원자들 안에서 좀 더 깊숙이 침투하고 충돌을 유도하여, 원자핵에 대한 새로운 변화가 관측될지도 모른다는 생각에서였다.

금과 같이 무거운 원자에 이어서, 수소와 같이 가벼운 원자와 알파 입자가 충돌하는 실험이 새로운 결과를 기다리고 있었다. 알파 입자가 무거운 원자와 부딪쳐 일어나는 현상이 '산란'이었다면, 가벼운 원자와 부딪쳐 일어나는 효과는 '충돌'로 실험 제목이 바뀌었다.

고전 물리학의 정면충돌 [13][14]계산에 따르면, 표적이었던 수소 원자는 충돌 전에 발사체인 알파 입자와 비교해서, 충돌 후에 1.6배 빠르고 4배 멀리 0.64배의 에너지를 갖고 뒤로 물러났다. 마즈든은 알파 입자들이 수소 기체를 지나가며 충돌하여, 빠르게 움직이는 "수소-입자"들이 나타나고 멀리 떨어진 황화아연 형광판을 때리면서, 희미하게 번쩍거리는 빛을 여러 차례 실험에서 목격했다. 수소-입자는 원자의 겉이 사라지고 점과 같이 속만 남아서, 매우 작고 빠르게 움직이며 멀리 떨어진 황화아연 인광화면에 섬광을 남기는 입자였다. 수소-입자는 수소 원자와 구별하기 위해서 마즈든이 붙인 이름이었고, 100센티미터가 넘는 거리에서도 발견되었기 때문에, "장거리 수소-입자"라는 이름이 사용되기도 했다.

가벼운 원자들과 알파 입자의 충돌을 조사하기 위해서 마즈든이 시도했던 [15]초기 실험은 의외로 간단했다.
—100센티미터 길이와 9센티미터 지름의 철로 만든 원통 모양의 속이 빈 관管에서, 한쪽 끝은 황화아연 화면, 다른 쪽 끝은 유리판으로 밀봉되었으며, 위에는 기체를 삽입하는 조그만 구멍이 연결되어 공기와 수소가 채워진 채 실험이 진행되었다.
—25밀리퀴리의 라듐 '방사 기체'(라돈-222)를 담은 유리 시험관이 원통 관 안에 놓여서 황화아연 화면까지 거리가 38, 50, 82 센티미터로 늘어날 때, 섬광 수는 1분당 10, 5.5, 0.5 회로 줄어들었다.

마즈든은 수소 기체뿐만 아니라 석유나 석탄에서 정제하여 수소가 다량으로 들어 있는 고체 양초, 즉 석랍의 얇은 막에서도 [16]

수소-입자를 관측했다. 공기에서도 알파 입자의 진행 방향으로 수소-입자가 간혹 발견되었는데, 마즈든은 그것이 어디로부터 오는지 도무지 알 수 없었다. 공기 중에 있던 수증기, 실험 장치에 흡수된 물 분자, 더 나아가서는 알파 입자의 공급원인 '방사 기체'나 '라듐-씨'가 스스로 수소-입자를 방출할지도 모른다는 가능성이 제기되었다.

1898년에 "광선"이라는 라틴어 어원을 가진 라듐을 마리아 퀴리는 그의 남편 피에르 퀴리와 함께 우라늄 광석에서 발견했다. 1902년, 순수한 라듐을 분리한 후에 방사성 붕괴를 거쳐서 '라듐 에이', '라듐 비', '라듐 씨'가 제조되었다. 초기 이름이었던 라듐-씨는 실제로 원자번호 83의 비스무트-214였으며, 베타 입자를 내놓고 원자번호 84인 폴로늄-214를 거친 다음, 다시 알파 입자를 방출하고 원자번호 82인 납-210으로 붕괴되었다.

유럽을 혼란에 빠트렸던 제1차 세계대전은 예외 없이 러더포드의 맨체스터 실험실에도 피해를 입혔다. 보어는 덴마크로 돌아갔고, 마즈든은 뉴질랜드에서 제안한 교수직에 동의하여 떠났고, 모즐리는 갈리폴리 전투에서 안타깝게 돌아오지 못했다. 베를린 공과대학교에서 가이거와 함께 연구하던 채드윅은 전쟁 포로가 되어 루흐레벤 수용소에 감금되었다. 러더포드 자신도 과학을 전시동원戰時動員하기 위해서, 특히 대對잠수함 기술에 온갖 노력을 기울였다. '수중청음기' 특허도 그중 하나였다.

1917년에 들어서면서 러더포드는 그의 연구로 돌아올 수 있었다. 러더포드와 그의 조수인 윌리엄 케이는 가벼운 기체와 얇은 석랍 막을 표적삼아서 알파 입자가 통과하며 일으키는 수소-입자 실험을 다시 시작했다.

…실험 목적은 가벼운 원자들이 알파 입자와 충돌해서 생긴 장거리 수소-입자의 실체를 밝히는 일이었다.

1919년 1월, 제1차 세계대전이 끝나고 두 달 후에, 뉴질랜드 빅토리아 대학교 물리학과 교수로 임용되어 4년 전 맨체스터를 떠났던 마즈든도 돌아왔다. 그는 수개월 동안 머물면서 러더포드가 다시 시작한 '알파 입자와 가벼운 원자의 충돌 실험'을 도왔다. 실험은 마즈든이 전에 간단하게 시도했던 수소-입자 측정을 근거로 진행되었다. 장치는 좀 더 정교하게 개선되었고, 측정도 보다 정밀하게 이루어졌다.

—실험 장치가 포함된 놋쇠 상자는, 전방 면이 유리였고 반대 면 놋쇠 중앙에 작은 사각 구멍이 만들어졌으며, 폭과 높이와 길이가 각각 2, 6, 18 센티미터였다.

—놋쇠 상자 안에는, 주로 라듐-씨를 얇게 바른 작은 원판이 금속틀 위에 삽입된 수직 막대에 고정되어, 수평으로 자유롭게 이동하면서 측정이 이루어졌다. 놋쇠 상자 안은 기체를 채우거나 필요에 따라서 비우도록 외부의 기체통과 진공 펌프에 연결되었다.

—길이 1센티미터와 폭 3밀리미터인 사각 구멍의 안쪽은 은 또는 알루미늄 은박지[알파 입자가 공기에서 날아갈 때, 4에서 6 센티미터의 거리에 맞먹는]가 막았고, 바깥쪽은 1 또는 2 밀리미터 떨어져서 황화아연 화면이 설치되어 덮여 있었다. 화면으로부터 조금

떨어진 거리에는 지름 2밀리미터 시계視界의 현미경이 섬광을 주의 깊게 살피기 위해서 준비되었다.
—라듐-씨로부터 나오는 "방사 기체"라고 불리던 라돈이 약 20분 동안 배출된 다음, 알파 입자가 공기에서 7센티미터를 날아가며 일정한 속도를 유지할 때 실험이 시작되었다. 실험에서 준비된 라듐은 5에서 80 밀리그램 사이였다.
—베타선과 감마선이 일으키는 섬광을 방지하기 위해서, 라듐-씨가 화면에서 최소 3센티미터 이상 떨어졌고, 6,000가우스(0.6테슬라) 전기 자석이 설치되어 베타선을 다른 방향으로 휘어지게 만들었다.

실험 결과는 놀라움으로 돌아 왔다. 공기와 질소처럼 수소 원자를 거의 포함하지 않은 기체에서도, 빠르게 후퇴하는 '장거리 입자'의 수가 증가했다. 공기와 질소에서 나타난 '장거리 입자'는 자기장에서 양전하 방향으로 휘어졌고, 알파 입자가 수소 기체를 지나며 만들었던 수소-입자와 동일한 비행거리 및 에너지를 보였다. 러더포드는 알파 입자가 질소 원자핵과 충돌해서 수소-입자가 튀어 나왔다고 주의 깊게 판단했다.

1919년 4월, 전쟁으로 출판이 지연되었던 러더포드의 논문[17][18][19][20]네 편이 『알파 입자와 가벼운 원자들의 충돌』이라는 제목으로 〈철학 잡지〉에 한꺼번에 제출되었다.

첫 번째 논문은 수소 기체에서 알파 입자들의 충돌을 조사했다. 그동안 헬륨을 제외하고는 무거운 원소들에서만 방사성 변환이 보고되었기 때문에 수소처럼 가벼운 원소들에서 일어나는 변화를 관측하는 실험은 매우 중요했다.

정밀도 면에서 떨어졌지만, 그 당시 원자핵 크기는 대체로 1조 분의 1센티미터 정도였다. 가이거-마즈든이 조사했던 알파 입자의 금金 은박지 실험에서 금 원자핵의 크기는 1조 분의 3센티미터로, 수소 원자핵의 크기는 1조 분의 0.3센티미터로 각각 추산되었다. 러더포드는 가벼운 원자들과 충돌할 때 알파 입자가 거의 1조 분의 0.3센티미터 거리까지 접근하고 전기 힘도 매우 강력하게 작용하여, 표적 원자핵을 밖으로 밀어낸다고 "이상한 효과"를 설명했다.

'이상한 효과'는, 수소-입자들이 알파 입자의 진행 방향을 따라서 충돌한 후에 거의 일정한 속도로 후퇴하고, 멀리 떨어진 거리에서 다윈이 계산했던 결과보다 훨씬 더 많은 양量의 섬광이 나타나는 현상을 가리켜서 붙여진 이름이었다.
—수소-입자 수는 계산 결과에 비해서, 알파 입자의 비행거리가 7센티미터일 때 30배나 많이 관측되었고, 2센티미터와 3센티미터 사이에서는 오히려 급격하게 줄어들었다.

러더포드는 표적 원자핵으로부터 거의 1조 분의 3센티미터 떨어진 위치에서, 방향과 거리에 따라 급격하게 증가하는 힘이 작용하여, 원자핵 구조와 성분들을 변형한다고 가정했다. 알파 입자와 표적 원자핵 사이에서 거리에 따라 급격하게 증가하는 힘을 고려한다면, 그 힘은 헬륨 원자핵을 부서트릴 정도여서, 수소 원자핵들을 밖으로 풀어 놓기에 충분하다고 러더포드는 생각했다. 그동안 헬륨 원자핵이 분열 모습을 보이지 않았던 것은 단지 안정된 구조였기 때문이다, 라며 첫 번째 논문은 결론을 맺었다.

—그러한 강력한 충돌이라면, 수소 원자들이 포함되든지 또는 전혀 포함되지 않든지 상관없이, 빠른 수소-입자들이 물질로부터 튀어 나오는 것은 얼마든지 가능하다.

러더포드가 이러한 결론을 내린 이유에는 두 가지 심증이 있었다.

…첫째, 알파 입자들이 대부분 물질에 흡수되어 더 이상 남지 않은 6센티미터가 넘는 거리에서도, 거의 같은 방향과 일정한 속도를 유지하며 나아가는 수소-입자들이 여전히 발견되었다.

…둘째, 황화아연 화면에서 관찰된 수소-입자들의 수가 충돌에서 계산된 수보다 지나칠 정도로 많았다.

두 번째 논문은 수소-입자의 질량, 속도, 비행거리를 조사하여 그 성질을 자세히 분석했다. 조지프 존 톰슨이 전자를 발견했던 실험에서와 같이, 전기장과 자기장에서 수소-입자의 휘어지는 경로가 관찰되었다. 최대 0.9테슬라의 전자석과 3만 볼트의 전원이 필요했지만 기술적인 어려움 때문에 7천 볼트의 전원이 대신 사용되었다.

—측정된 수소-입자는 전하질량 비(전하와 질량의 비율)가 10,000 전자기 단위였고, 휘어지는 방향이 전자와 반대여서, 양전하 입자였다.

—전해질에서 측정된 수소 이온의 전하질량 비는 9,570전자기 단위였다.

—탄성충돌을 가정해서 계산된 수소 원자핵의 속도는 초당 3.12천만 미터였고, 자기장에서 측정된 수소-입자의 속도는 초당 3.07천만 미터였다. [빛 속도의 약 1/10].

자기장에서 측정된 수소-입자는 전하 크기와 부호의 면에서 수소 이온과 일치했고, 계산된 수소 원자핵과 매우 닮아 있었다.
…전하질량 비 측정에 의하면, 수소-입자는 수소 원자핵 또는 수소 이온이었다.

세 번째와 네 번째 논문은 수소를 전혀 포함하지 않은 산소와 질소 기체에서 알파 입자의 충돌을 조사했다. 실험 장치에 수소 대신 산소 또는 이산화탄소가 채워졌을 때, 황화아연 화면에서 번쩍거리는 섬광 수가 줄어들었다. 이번에는 산소와 이산화탄소가 배출되고, 공기 또는 질소가 가득 채워졌다. 실험 결과는 매우 다르게 나왔다. 섬광 수가 오히려 늘어났다. 이산화탄소와 수소의 혼합 기체, 공기, 질소를 제각기 채운 다음, 21)동일한 실험 조건에서 측정된 결과들이 서로 비교되었다 [건조한 공기는 21퍼센트의 산소, 78퍼센트의 질소, 그리고 아르곤과 이산화탄소 등으로 이루어졌다].
—라듐으로부터 19센티미터 떨어져서 측정된 섬광 수가, 혼합 기체보다 '공기'에서 2배로 증가했다.
—라듐으로부터 19센티미터 떨어져서 측정된 섬광 수가, 혼합 기체보다 '질소'에서 3배로 증가했다.

러더포드는 질소에서 나타난 장거리 입자들이 그동안 섬광을 일으켰던 것들과 여러 면에서 동일하다고 판단했다.

—알파 입자들이 질소 원자들과 충돌해서 새로 나타난 장거리 입자들은, 질소 이온들이기보다 아마도 수소-입자들이거나 또는 질량수가 2인 수소 동위 원소의 원자핵들일 것이다.
—알파 입자와 근접한 거리에서 충돌한 질소 원자핵은 강력한 힘이 작용하여 분열로 이어졌고, 바깥으로 조각들을 풀어 놓았다. 그때 바깥으로 풀어 놓은 조각들이 바로 수소-입자들이었다.

수소-입자들은 질소 원자핵을 구성하는 성분이었던 것이다.

러더포드는 수소-입자의 실험을 마치며 마지막으로 결론을 내렸다.
—라듐-씨와 같은 방사능 물질이 붕괴될 때 스스로 배출하는 거대한 에너지가 고려된다면, 알파 입자와 작용해서 발생한 질소 원자핵의 분열은 그렇게 놀랄 만한 일이 아니다. 알파 입자와 같이 거대한 에너지 발사체가 가벼운 원자들과 충돌해서 그들의 원자핵 구조를 파괴하는 일은 얼마든지 가능하다.

러더포드가 언급했던 질소의 분열 과정은 원자핵 반응식으로도 표현이 가능했다.
"질량수 14인 질소의 원자핵에 알파 입자가 충돌해서, 질량수 13인 탄소의 원자핵과 질량수 1인 수소의 원자핵이 새로이 생겨났다."

우라늄에서의 방사성 붕괴가 '자연 핵분열'이었다면, 질소 원자와 알파 입자의 충돌은 '인공 핵분열'이었다.

사실, 러더포드가 "질소 원자와 충돌하여 알파 입자는 그대로 유지되고, 수소 원자핵이 새로이 생겨났다."라고 언급했던 원자핵

과정은 올바른 해석이 아니었다. 알파 입자를 반응 전과 후에 그대로 유지되는 "근본 물질"로 여겼던 것이 실수를 불러 일으켰다. 6년이 더 지난 다음에야 러더포드와 함께 연구하던 패트릭 블래킷이 그 실수를 찾아내어 새로운 사실을 밝혀준다. 러더포드는 질소 원자핵이 3개의 [22]헬륨 원자핵과, 2개의 수소 원자핵 또는 1개의 중수소 원자핵이 모여서 구성된다고 예상했지만, 알파 입자 자체가 분열과정에서 포획된다는 사실은 상상조차 할 수 없었다.

제1차 세계대전을 겪으면서 유럽 과학자들은 실험물리학의 중요성을 깨닫게 되었다. 특히 케임브리지 대학교 교수들은 대학의 미래가 실험물리학의 손에 달려 있다고 내다보았다. 전쟁이 끝나고, 케임브리지 화학과 교수 윌리엄 잭슨 포프(1870-1939)는 러더포드에게 개인 [23]편지를 보냈다. 그는 편지에서, 트리니티 대학 학장으로 임명되어 최근 공석이 된, 조지프 존 톰슨의 캐번디시 교수직을 이어받으라고 러더포드에게 권유했다.

1919년 4월, 러더포드는 오랜 전통을 지닌 과학의 중심지, 케임브리지로 돌아왔다. 맨체스터에서 케임브리지로 장소가 바뀌면서 함께 연구하던 학생들과 동료들도 뒤따랐다. 조지프 라모어와 아서 슈스터로 구성된 위원회가 캐번디시 교수였던 톰슨의 후임으로 러더포드를 선출했던 것이다. 톰슨은 트리니티 대학의 학장으로 남았다. 러더포드는 톰슨에게서 「캐번디시 연구소」 일에 일체 관여하지 않겠다는 약속을 받았고, 대신 사무실과 조수와 연구학생들은 지도해도 좋다고 승인했다. 톰슨도 러더포드가 트리니티 대학의 특별

회원이 되어서 언제든지 특별 식당에서 식사하는 것을 허락했다. 두 거인 사이의 타협이었다.

1920년 8월 24일, 카디프에서 열린 24)영국 과학협회 모임에서 러더포드가 새롭게 발견한 "양성 전기를 띤 수소 원자핵"의 이름으로, "양성자(프로톤)" 또는 "양성자(프루톤)"가 제안되었다. 그중 양성자(프로톤)의 이름이 채택되었다. 양성자는 그리스 어원인 "처음"이라는 낱말에서 그 이름이 시작했지만, 수소를 '처음 물질'로 가정해서 윌리엄 프라우트가 불렀던 '프로타일'을 러더포드는 마음속에 두고 있었다. 윌리엄 프라우트가 화학 원소를 구성하는 처음 물질로서 수소를 설명한 『기체 상태에서 물체 비중과 원자 무게 사이의 관계』의 논문이 발표되고 105년이 지난 다음의 일이었다.
…양성자와 수소 원자핵은 아무런 물리적인 차이를 갖지 않는다. 다만 어휘만 다르게 사용될 뿐이다. 화학 반응에서는 수소 이온으로, 입자 물리학에서는 양성자로 사용된다.

수소 원자핵, 수소 이온, 양성자는 모두 똑같은 물질이다.

1925년, 제1차 세계대전에서 해군 함정 장교의 임무를 마치고 「캐번디시 연구소」에서 러더포드와 함께 연구하던 영국 물리학자 패트릭 블래킷(1897-1974)은 알파 입자나 베타 입자와 같이 에너지가 높은 입자들이 흔적을 남기는 '구름 상자'를 실험에 사용했다. 그는 알파 입자가 남긴 42만 개의 흔적을 담은 2만 3천 장의 사진 중에서, 특별히 알파 입자와 질소 원자가 충돌하여 분열로 이어진 여덟 경우를 골라서 분석했다. 그들은 모두 충돌 후에 둘로 갈라진, 입자 2개의 흔적만을 담고 있었다. 충돌 후에 셋으로 갈라진, 입자 3개의 흔적은 찾을 수가 없었다.

사실, 러더포드가 케임브리지에 돌아오기 직전 제출했던 네 번째 논문인 『가벼운 원자들과 알파 입자의 충돌: 질소에서 이상한 효과』에 근거하면, 알파 입자가 질소-14의 원자핵에 충돌하여, 알파 입자와 탄소-13의 원자핵과 수소-1의 원자핵을 나타내는 3개의 입자 흔적이 구름 상자에 남았어야 했다.

충돌 후에 남은 입자 흔적은 구름 상자에서 2개뿐이었다. 알파 입자와 질소-14의 원자핵은 사라지고 산소-17과 수소-1의 “2개” 원자핵이 새로 나타났다, 라고 블래킷은 러더포드의 실험을 다시 분석했다.

“질량수가 14인 질소의 원자핵에 질량수가 4인 헬륨의 원자핵이 충돌해서 질량수가 17인 산소의 원자핵과 질량수가 1인 수소의 원자핵으로 분열되었다.”

그야말로 질소^{14}-산소^{17}의 ‘원자핵 변환’이었다!

1925년에 열린 [25]〈왕립학술원 강연〉에서 러더포드는 질소-산소의 원자핵 변환을 설명했다.

“충돌에서 알파 입자는 포획되고 양성자가 배출되었다....... 양성자를 배출하는 충돌의 결과로서, 원자핵 질량은 줄어들지 않고 오히려 늘어난 것으로 보인다.”

러더포드는 원자를 분리하는 일에 성공했고, 세계에서 처음으로 성공한 “연금술사”가 되었다. 그는 연금술사라는 표현을 탐탁해 하지 않았다. "변환"이라는 용어보다 "분열"의 사용을 좋아했다.

패트릭 블래킷은 영국 해군사관학교를 졸업했고, 해군 장교로서 제1차 세계대전에 참전한 후에 케임브리지 대학교 마들린 대학에서 물리학을 전공했으며, 10년 동안 러더포드와 함께 「캐번디시 연구소」에서 우주선宇宙線 입자의 실험을 진행했다. 그는 런던 대학교와 빅토리아 맨체스터 대학교와 임페리얼 대학교에서 물리학 교수를 지냈고, 산업공학 또는 경영공학의 전신이었던 '운용과학'에 깊이 관여했고, 원자 폭탄 개발에 반대했으며, 과학과 기술의 정책 분야에서 영국 노동당 대표였고 수상이었던 해럴드 윌슨(1916-1995)에게 많은 영향을 미쳤다. 1948년 노벨 위원회는 『윌슨 구름 상자의 방법 개발, 원자핵 물리학 및 우주 복사선 분야에서 발견들』의 공헌으로 패트릭 블래킷에게 노벨 물리학상을 수여했다.

6.2 원자핵에서 '두 입자 이론'

케임브리지에 돌아와서 러더포드는 여전히 원자핵 실험에 관심을 두고 있었다. 가벼운 원자들과 알파 입자의 충돌 실험에서 보았듯이, 원자핵을 구성하는 성분들을 찾을 수 있기 때문이었다. 그 당시에 러더포드는 수소 원자핵(양성자)과 전자로 이루어진 [26]'두 입자 이론'의 틀에서 원자핵을 인식했다. 러더포드의 이러한 인식은 그때 사용되던 주기율표에서 원자번호와 질량수가 원자핵에 포함된 기본전하 개수와 관련된 것처럼 나타난 데서 비롯되었다.

그동안 원자핵 안에서는 양성자만 발견되었기 때문에 양성자 개수가 질량수이고, 양성자와 [27]전자의 개수 차이인 [28] '기본전하 순純개수'가 원자번호라고 해석될 수밖에 없었다. $_2$헬륨^4[원자번호가 2이고 질량수가 4인] 원자의 경우, 원자핵 안에 4개의 양성자와 2개의 전자가 포함되면, 기본전하 순개수가 2로 계산되어서 원자번호는 2이고, 질량수가 4라는 추정이 가능했다. [전자 질량은 양성자 질량의 1/1836이어서 무시할 정도로 작다].

원자핵을 양성자와 함께 전자로 이루어진 '두 입자 이론'의 틀로 바라보는 데도 한계는 있었다. 원자핵을 부술 정도로 강력하게 작용하는 알파 입자의 충돌에서 양성자와 전자가 서로 붙들고 있는 전기 힘을 실제로 유지할 수 있을는지에 의문이 제기되었고, 원자 안에 들어있는 총전자 수는 실제로 확인 된 것의 두 배였다.

1920년 6월 3일 [29]〈왕립학회 베이커 강연〉에서 러더포드는 『원자들의 원자핵 구성』의 실험 결과를 설명했다. 강연은 1919년 〈철학 잡지〉에서 발표되었던 수소-입자 연구에 지난 수개월 동안 케임브리지에서 주의 깊게 검토해온 내용이 추가되어 진행되었다. 그는 강력한 알파 입자 충돌의 결과로서, 수소, 질소, 산소에서 질량수가 1인 수소의 원자핵 또는 질량수가 3인 헬륨 동위원소(기본전하의 순개수가 2)의 원자핵을 각각 [30]확인했고, 아직 발견되지 않은 질량수 2의 수소 동위원소도 존재가 가능하다고 설명하여 청중들을 놀라게 했다.

—질량수가 1인 수소의 원자핵(수소$^{1+}$)과 질량수가 3인 헬륨 동위원소의 원자핵(헬륨$^{3++}$)이 발견되었다.

러더포드가 원자핵을 구성했던 계산법은 수소와 헬륨의 원자핵들과 전자들을 결합하는 방식이었다. 예를 들면, 원자번호가 3이고 질량수가 7인 리튬의 원자핵은 질량수가 3인 헬륨 동위원소의 원자핵(헬륨$^{3++}$)과 질량수가 4인 헬륨의 원자핵(헬륨$^{4++}$)이 전자 1개와 결합하여 구성되었다. 그리고 궁극적으로는, 수소 원자핵들과 전자들로 구성된 원자핵의 구성도 충분히 가능하기 때문에, 수소 원자핵(양성자)과 전자가 각각 1개씩 결합하여 동시에 들어 있는 집합체로서 '중성 입자'의 존재를, 러더포드는 [31]제안했다. [러더포드의 계산법은 10년이 더 지나서 수정된다].

"양성자와 질량은 거의 같지만, 전기 성질이 중성인 입자가 가능하다."

'중성 입자'는, [32]1899년에 오스트레일리아 물리학자 윌리엄 서덜랜드(1859-1911)가 "양성의 전자와 음성의 전자로 구성된 가상적인 결합"을 설명하기 위해서 등장했었지만, 1920년에 러더포드가 "양성자와 전자가 결합된 '중성 입자'"의 존재를 제안했고, 1921년에 미국 화학자 윌리엄 드레이퍼 하킨스(1873-1951)가 가상 입자로서 "중성자"라는 이름을 처음으로 [33]사용했다. 중성자의 낱말은 라틴어에서 '중성'과 그리스어에서 '입자'가 더해져서 만들어졌다.

케임브리지에서 러더포드는 물리학을 벗어나 과학 행정 및 정책에 관련된 책임으로 눈코 뜰 새 없이 바빴다. 그렇다고 원자핵 연구에서 눈을 떼지는 않았다. 맥길 대학교에서 주로 '방사성 붕괴' 실험에 관심을 가졌었다면, 맨체스터에서는 '원자핵 이론'에 몰

두했고, 캐번디시에 와서는 '인공 원자핵 분열'이라는 새로운 분야를 탄생시켰다.

마즈든이 조사했던, "알파 입자가 가벼운 기체의 원자들과 충돌해서 수소-입자(나중에 양성자)가 튀어나와 황화아연 화면에 섬광을 일으켰던 실험"에서, 러더포드가 던졌던 질문은
"이 실험에서 무슨 일이 일어날 것인가?"
라는 원자핵 바깥에서 이루어지는 충돌에 관련해서였다.

그렇지만 그의 마음속에 담아 둔 질문은 따로 있었다.
"질소와 산소와 같은 표적 원자핵 안에는 무엇이 남겨져 있을까? 그리고 알파 입자는 어떻게 되었을까?"

수수께끼와 같이 난해한 질문에 대한 정확한 해석이 그에게는 꼭 필요했다.

1920년대와 30년대의 「캐번디시 연구소」는 사람들로 넘쳤고, 세계에서 가장 바쁜 실험실이었다. 어니스트 러더포드, 제임스 채드윅, [34]프랜시스 애스턴, 조지프 존 톰슨 외에도 매년 30명이 넘는 연구학생과 방문 과학자들이 실험실 여러 분야에서 분주하게 연구를 수행하고 있었다. 러더포드의 연구에 직접 참여해서 문제들을 조사하고 해결하는 과학자들도 있었고, [35]찰스 톰슨 리스 윌슨(1869-1859)은 아예 외부에 실험실을 차려놓고 연구를 하고 있었으며, 수학과 소속의 이론물리학자 랄프 하워드 파울러(1889-1944)는 연구소 내에 방 하나를 따로 차지하고 있었다.

1927년 '1851 박람회 연구 장학금' 연구학생으로 오스트레일

리아에서 캐번디시에 온 마크 올리펀트(1901-2000)는 처음 본 연구소 풍경을 적었다.

-프랜시스 애스턴은 동위원소를 주제로 한 책을 읽고 있었고,[36] 아서 에딩턴은 명상에 잠긴 채로 수학도 없이 상대론을 토론했고, 더글러스 하트리는 양자 이론을 뽐내듯이 강의했고,[37] 네빌 모트는 실제로 양자 이론을 매우 잘 가르쳤고, 찰스 톰슨 리스 윌슨은 대기大氣 전기학 강의를 너무 소심하게 진행해서 학생들에게 별로 인기가 없었다.

올리펀트는 "윌슨은 표현하는 일에 어려움이 많아서 매우 당황했다."라고 묘사했지만, 존 에쉬워트 래트클리프(1902-1987)는 "대기 분자들이 이온화되어 분리된 전리층에 관한 토의는 내가 들었던 강의 중에서 가장 명쾌하고 훌륭한 내용이었다."라고 칭찬을 아끼지 않았다.

러더포드의 원자핵 실험을 도왔던 학생들과 물리학자들의 이름에는 패트릭 블래킷, 에드워드 불라드, 제임스 채드윅, 존 코크로프트, 찰스 엘리스, 피터 커피처, 필립 문, 어니스트 월턴, 마크 올리펀트와 같은 과학자들이 포함되어 있었다. 그들 가운데 채드윅(1935년), 블래킷(1948년), 코크로프트(1951년), 월턴(1951년), 커피처(1978년)는 노벨 물리학상을 나중에 받았고, 에드워드 불라드는 지구의 '판 구조론'에 관련된 '다이나모 이론'을 발전시켰던 지구 물리학자였으며, 캐번디시의 풍경을 적었던 마크 올리펀트는 '맨해튼 계획'에 참여해서 어니스트 로런스와 로버트 오펜하이머에게 동위원소 분리를 위해 사이클로트론에서 질량 분광기로 전환하는 기술을 알려 주기도 했다.

6.3 원자핵에서 두 번째 입자

러더포드가 원자핵을 발견했던 1911년, 채드윅은 러더포드의 지도하에 맨체스터 대학교에서 물리학 학사학위, 그리고 2년 후에 석사학위를 받았다. 아직도 빅토리아 맨체스터 대학교라고 불리던 시절이었다. 1914년, 채드윅은 '1851 박람회 연구 장학금'을 받고 베를린에 있는 [38]「물리학 기술 연구소」에서 한스 가이거와 함께 베타 광선에 관련된 연구를 시작했다.

영국 물리학자 제임스 채드윅(1891-1974)이 독일 물리학자 발터 보테(1891-1957)를 처음 만난 곳은 「물리학 기술 연구소」에서였다. 보테는 채드윅과 나이가 같았고, 한스 가이거의 지도하에 알파 입자의 충돌 실험을 떠맡고 있었다. 제1차 세계대전이 시작되자 그들의 연구는 중단되었다. 보테는 독일 육군에 지원했고, 포로가 되어서 5년 동안 러시아 시베리아 수용소에 감금되었다. 수용소에서 실험은 할 수 없었지만, 러시아어와 수학과 이론물리학을 공부했다. 채드윅이 독일 루흐레벤 수용소에서 4년 동안 힘들게 지냈던 것과는 상황이 달랐다. 보테는, 1920년에 베를린으로 돌아올 때 러시아에서 만난 신부新婦와 함께 동행을 했고, 다시 「물리학 기술 연구소」에서 연구를 시작했으며, 1927년에는 가이거 후임으로 연구소장 직책을 맡았다.

전쟁이 끝나고 돌아온 채드윅은 케임브리지에서 러더포드가 가설로 내세웠던, 양성자와 전자로 이루어진 '중성 입자'를 찾고 있었다. '중성 입자'를 찾는 일은 쉽지 않았다. '중성 입자'는 전기를 띠지 않았기 때문에 다른 전하 입자들처럼 취급될 수가 없었다. 전기장도 자기장도 소용이 없었다.

1930년, 보테는 그의 학생 헤버트 베커(1887-1955)와 함께 알파 입자가 가벼운 원자들과 충돌해서 발생하는 "새로운 광선"을 주제로 『감마 광선의 인공적인 자극』의 [39]논문을 발표했다.

—원자번호 84의 '폴로늄'에서 방출된 알파 입자들이 리튬-7, 베릴륨-9, 붕소-11, 불소-19의 원자들과 충돌하여 매우 침투력이 높고, 수백에서 수천 킬로전자볼트 에너지를 가진 광선이 "새로이" 나타났다.

그들은 '새로운 광선'을 그동안 침투력이 높고 아무런 전하도 포함하지 않은 광선으로 알려진, 가벼운 원자들의 원자핵이 알파 입자를 포획하고 과잉 에너지의 형태로 방출된, 감마선이라고 가정했다. [40]'새로운 광선'은 납같이 무거운 원자들에서도 침투력이 매우 높았고, 검전기에서는 방전을 일으키는 효과를 만들지 않았다. [전하가 아니라는 증거였다].

「캐번디시 연구소」에서 측정된 [41]실험 결과도 보테의 것과 비슷했다. 공기에서 비행 거리가 3.9센티미터인 알파 입자가 '베릴륨'에 충돌하여, 방출된 '새로운 광선'은 납에서 0.22/센티미터(4.54센티미터), 철에서 0.137/센티미터(7.30센티미터), 알루미늄에서 0.046/센티미터(21센티미터)의 흡수 계수(침투 깊이)를 보였다. 알파선은 두께가 0.053밀리미터인 얇은 종이를 겨우 지나갈 수 있었고, 베타선은 3밀리미터 정도의 알루미늄 은박지를 통과하는 것이 고작이었다. 양전하의 알파 입자와 음전하의 베타입자가 전기장에 영향을 받는 것과 달리, ‘새로운 광선’은 아무런 변화도 겪지 않았다.

1932년, 프랑스 화학자와 물리학자 이렌 졸리오퀴리(1897-1956)와 물리학자 프레데리크 졸리오퀴리(1900-1958)는 폴로늄에서 튀어나온 알파 입자들이 베릴륨, 리튬, 붕소와 충돌해서 방출된 ‘새로운 광선’이, 방사성 물질로부터 나오는 가장 침투력이 높은 감마선보다 ‘납에서 3배나 더 멀리 통과한다는 사실을 [42][43]확인했다. 그들은 “‘새로운 광선’을 파라핀납蠟이라고 부르는 ‘석랍’과 같이 수소 원자를 많이 포함한 물질에 입사하면, 빛 속도의 10퍼센트에 해당하는 속도와 [44]5메가전자볼트의 높은 에너지로 양성자가 방출된다.”라고 [45]밝혔다.
…이렌 졸리오퀴리와 프레데리크 졸리오퀴리는 발터 보테가 주장했던 “‘새로운 광선’이 감마선이다.”라는 가설을 순순히 받아들였다.

이렌 졸리오퀴리는 마리 퀴리와 피에르 퀴리의 큰 딸이었다. 대학 재학 중에 제1차 세계대전이 일어났고, 간호학을 공부하여 마리 퀴리와 함께 전쟁에 참여했다. 그녀는 의사들에게 엑스선 장치를 사용하는 방법을 가르쳤으며, 부상병의 몸에서 총알과 파편을 찾아내고 부러진 뼈를 맞추는 의학 기술에 엑스선이 활용되도록 도왔다. 마리 퀴리는 엑스선 장치와 사진 현상에 필요한 암실 장비를 아예 자동차에 실어서 전쟁터를 이동하며 부상 군인을 치료하는, '방사선 운반차車'를 처음으로 개발하여 사용했다.

이렌 졸리오퀴리는 전쟁이 끝나고 파리 대학교에서 수학과 물리학을 전공했고, 어머니의 고국인 폴란드의 이름이 붙은 폴로늄을 대상으로 조사했던, 46)『폴로늄으로부터 알파 광선, 경로 진동, 방출 속도, 이온화 능력에 관련된 연구』의 논문으로 1925년에 박사 학위를 받았다. 이렌 졸리오퀴리의 지도교수는, 조지프 존 톰슨의 학생이었고 피에르 퀴리의 박사학위 지도학생이었던 폴 랑주뱅(1872-1946)이었다. 이렌 졸리오퀴리는, 1935년에 『새로운 방사성 원소의 합성』을 연구한 공헌으로 프레데리크 졸리오퀴리와 함께 노벨 화학상을 받는다.

이렌 졸리오퀴리가 발견했던, "'새로운 광선'이 석랍과 부딪쳐 5메가전자볼트의 에너지를 가진 양성자를 방출했다."라는 사실로부터, '새로운 광선'은 감마선에 비교적 잘 부합한다는 의견이 제시되었지만, 한편 '에너지와 운동량 보존'에서는 문제점을 안고 있었다. 감마선으로 가정된 '새로운 광선'이 물질에 부딪쳐 5메가전자볼트의 양성자를 배출하기 위해서는 최소한 47)50메가전자볼트의 양자 에너지가 필요하기 때문이었다.

1923년, 미국 세인트루이스에 있는 워싱턴 대학교에서 미국 물리학자 아서 콤프턴(1892-1962)은 엑스선을 흑연 표적에 쪼여서, 엑스선을 이루는 광자가 표적 원자에 있는 전자와 충돌한 48)'콤프턴 산란' 실험을 수행했다. 콤프턴은 충돌 후에 빛의 파장 변화를 측정함으로써 빛이 '광자'라는 양자로 구성된다는 사실을 다시 한 번 입증했다.

…양성자가 광자에게서 전달받는 최대 운동 에너지는, 거의 광자 에너지와 양성자 정지 에너지의 비율에 2배의 광자 에너지를 곱한 양이었다.

양성자의 정지 에너지가 938메가전자볼트, 운동 에너지가 5메가전자볼트로 주어지면, 콤프턴 산란에서 계산된 '새로운 광선'의 양자 에너지는 약 50메가전자볼트였다.

콤프턴 산란을 가정하여 이렌 졸리오퀴리가 계산한 '새로운 광선'의 양자 에너지인 50메가전자볼트는, 감마선이 실제로 가질 수 있는 최대 에너지인 8메가전자볼트에 비해서 지나치게 큰 양量이었다!

…'새로운 광선'은 감마선보다 훨씬 더 강력했고, '정지 질량'이 "0"인 광자의 양자 에너지에는 어울리지 않았다.

1932년에 이렌 졸리오퀴리의 논문이 발표되고, 채드윅은 '새로운 광선'과 원자핵의 충돌에서 운동량과 에너지 보존을 포기하든지 또는 양자 에너지를 가정했던 '새로운 광선'의 본질을 달리 선택하든지 결정해야 한다고 생각했다. 충돌에서 운동량과 에너지 보존을 포기하는 것은 용납되지 않았다. 그 대신에 '새로운 광선'의 본질이 광자의 양자 에너지가 아니고, 정지 질량이 있는 '입자'들로서 다루어져야 했다.

[49]채드윅과 그의 박사과정 학생인 잭 컨스터블과 어니스트 폴라드는 이미 1년 전부터 폴로늄에서 방출되는 알파 입자들이 가벼운 원자들과 충돌해서 나오는 '새로운 광선'을 조사하고 있었다.

—알파 입자와 함께 상당 양의 감마선이 라듐-씨에서 방출되기 때문에, 상대적으로 그 방출 양이 적은 폴로늄이 선택되었다.

—폴로늄은 라듐-디, 라듐-이, 라듐-에프가 더해진 전해질로부터 백금 종이에 모아진 뒤, 1센티미터 지름의 은銀 원판 위에서 농축되었고, [50]5밀리퀴리가 수집되면 그 사용이 시작되었다.

—폴로늄이 발라진 은 원판이 진공 펌프에 연결된 '재료 방' 안에서 지름 2센티미터의 베릴륨 원판을 표적으로 정면에 놓였다. 밸브 검출기에 연결된 '이온화 방'은 '재료 방'과 따로 분리되었고, 베릴륨 원판으로부터 3센티미터 떨어진 거리에서, 이온화 계수기가 1분에 4번씩 입자 도착을 알렸다.

—'이온화 방' 앞면에 위치한 광선 입구는 지름 13밀리미터의 알루미늄 또는 금 은박지가 삽입되어 입자들을 지연했다.

—실험에서 베릴륨 원판과 '이온화 방' 사이에 석랍이 놓이거나 또는 '이온화 방'에 수소, 헬륨, 질소, 산소, 아르곤과 같은 기체가 채워져서 양성자와 알파 입자들뿐만 아니라 여러 원자핵들이 관측되었다.

—1제곱센티미터에 대한 질량이 1.64밀리그램인 알루미늄 은박지가 '이온화 방' 광선 입구에 삽입되었을 때, 석랍에서 방출된 양성자의 최대 비행 거리는 공기에서 40센티미터였다.

—측정된 양성자는 최대 속도가 초당 3.3천만 미터였고(빛의 약 1/10), 운동 에너지로 환산되어 5.7메가전자볼트에 해당했다.

—'이온화 계수기'에 도착한 입자들의 수는 밸브 검출기에 연결된 '오실로그래프' 장치에서 따로 감지되었고, 브로마이드 종이에도

사진으로 기록되었다.

베릴륨 원판과 이온화 계수기 사이에 2센티미터 두께의 납이 놓였을 때에도, 계수기는 거의 변화가 없을 정도였다. 베릴륨에서 방출된 광선의 침투력이 높다는 것은 사실이었다.

베릴륨에서 방출된 '새로운 광선'이 석랍에 입사하여, 그로부터 튀어나온 양성자들은 빛에 비해서 거의 10 분의 1의 속도(초당 3.3천만 미터)로 날아갔고, 운동 에너지도 5.7메가전자볼트로 계산되었다. 석랍에서 튀어나온 양성자들은 질소 기체에서 충돌을 거듭하면서, 속도가 초당 4.7백만 미터이고 운동 에너지가 1.4메가전자볼트인 질소 원자핵들을 사방에 풀어 놓았다.

운동량과 에너지 보존 법칙을 따르고 정면충돌을 가정했을 때, 측정된 양성자와 질소 원자핵의 속도 비율로부터 '새로운 광선'의 속도와 질량이 계산되었다.

—10퍼센트의 오차 범위 내에서, '새로운 광선'을 이루는 '중성 입자'의 속도와 질량은 양성자의 1.07배와 1.15배였다.

'새로운 광선'은 양성자와 비슷한 질량과 에너지를 가졌고, 전기장과 자기장에서 휘어지지 않는 중성 전기를 띤 입자들이었다.

1932년 2월 27일, 채드윅은 『중성자의 존재 가능성』의 제목으로 발표된 〈네이처〉 51)논문에서 '새로운 광선'이 양성자들과 비슷한 질량을 가진 중성 전기의 입자들이라는 근거를 제시했다.

—'새로운 광선'이 광자의 양자 에너지로서 계산된다면, 질소 기체에서 질소 원자핵은 속도가 초당 2.3백만 미터였고 운동 에너지가 0.4메가전자볼트였으며, 1.3밀리미터를 비행하면서 약 10,000쌍의

이온을 생성했다.

—[52]표준 온도와 압력에서 관측된 결과에 따르면, 질소 기체에서 ‘새로운 광선’과 충돌한 후에 질소 원자핵은 속도가 초당 4.7백만 미터였고 운동 에너지가 1.4메가전자볼트였으며, 3.3밀리미터를 비행하면서 최소한 30,000쌍의 이온을 새로 만들었다.

‘새로운 광선’이 광자의 양자 에너지로서 계산된 결과는, 질소 기체에서 측정된 질소 원자핵의 속도, 운동 에너지, 비행거리, 생성된 이온들의 수와 매우 큰 차이를 보였다.

…‘새로운 광선’은 광자의 양자 에너지가 아니었다.

알파 입자와 베릴륨 원자의 충돌에서 나타난 ‘새로운 광선’의 반응 과정도 해결해야할 문제점을 안고 있었다. 헬륨-4의 원자핵이 베릴륨-9의 원자핵에 포획되어, “새로운 광선이 감마선의 양자 에너지로 방출되었다.”라는 가정은 “탄소-13의 원자핵이 형성되었다.”라는 결과를 의미하기도 했다. 그러나 탄소-13의 “결손 에너지”를 고려하면, ‘새로운 광선’이 광자의 양자 에너지에서 가질 수 있는 최대 에너지는 14메가전자볼트였다. 이렌 졸리오퀴리가 예상했던 50메가전자볼트의 에너지는 여전히 지나치게 큰 양이었다.

채드윅은 ‘새로운 광선’을 구성하는 중성 전기의 입자로서 마침내 “중성자”의 존재를 제안했다. 중성자는 12년 전 〈왕립학회 베이커 강연〉에서 러더포드가 언급했던 “양성자와 전자가 결합된 입자”였다. ‘새로운 광선’이 중성자처럼 정지 질량을 가진 입자로 구성된다면, 콤프턴 산란에서 발생했던, 정지 질량이 없는 광자의 충돌에 관련된 진동수와 에너지 교환의 문제도 쉽게 해소가 되었다.

헬륨-4의 원자핵이 베릴륨-9의 원자핵에 포획되어, 탄소-13의 원자핵이 형성되고 '새로운 광선'이 감마선의 양자 에너지 형태로 방출되었다, 라는 생각도 바뀌었다. 대신, 폴로늄에서 방출된 5.25 메가전자볼트 에너지의 알파 입자(헬륨-4의 원자핵)가 베릴륨-9의 원자핵에 포획되어, 탄소-12의 원자핵으로 변환되고 동시에 한 개의 중성자가 바깥으로 튀어 나왔다, 라는 새로운 설명이 추가되었다.

당시에는 베릴륨과 중성자의 질량이 정확히 알려지지 않았지만, 실험 자료를 바탕으로 추산하면, '새로운 광선'을 구성하는 중성자의 최대 운동 에너지는 8메가전자볼트였고, 속도는 빨라야 초당 3.9천만 미터였다. 실제로, 실험에서 측정된 중성자의 최대 속도도 초당 3.3천만 미터였다.

광자의 양자 에너지에 근거했던 베릴륨^{9}-탄소^{13}의 반응 과정은 그 가능성에서 배제되었다. 대신 베릴륨^{9}-탄소^{12}의 반응 과정이 원자핵 분열로서 [53]확인되었다.

"헬륨-4의 원자핵이 베릴륨-9의 원자핵에 포획되어 탄소-12의 원자핵과 중성자로 분열되었다."

채드윅은 '새로운 광선'을 간결하게 설명했다.

—물질에서 생성된 중성자는 감마선과 같은 광자의 양자 에너지와 닮았지만, 중성자와 광자의 양자 에너지는 양립하지 않는다.

—여태까지 종합된 실험 결과들은 '새로운 광선'이 중성자라는 사실을 뒷받침한다. 중성자는 양성자와 질량이 거의 같고, 중성 전기

의 입자이다.
—'새로운 광선'이 감마선과 같은 광자의 양자 에너지라는 가설이 성립하려면, 콤프턴 산란에서 보였던 운동량과 에너지 보존은 포기되어야 할 것이다.

중성자는 양성자와 질량이 거의 같고, 전기장과 자기장에서 휘어지지 않으며 침투력이 매우 높아서, 물질 깊숙이 투과가 가능하다.

1932년 2월 29일에 [54]발간된 〈뉴욕 타임스〉에서 채드윅은 그동안 중성자를 찾기 어려웠던 이유를 설명했다.
"중성자는 잘 드러나지 않는다. 다른 입자들은 보이고 그들의 행동이 주의 깊게 관찰될 수 있지만, 중성자는 보이지 않고 지나간 자취를 남기지도 않는다."

1933년 10월, 브뤼셀 자유 대학교에서 『원자핵 구조와 성질』의 제목으로 열렸던 〈제7차 솔베이 회의〉 주요 의제 중 하나는 1년 전에 채드윅이 발견했던 '중성자 질량'이었다. 만약 중성자 질량이 양성자와 전자를 합한 질량보다 적다면, 그 차이(질량 결손)가 원자핵 결합 에너지에 해당되어, 중성자는 '양성자와 전자의 복합체'일 가능성을 배제할 수 없었다.

1935년, 채드윅의 박사과정 학생인 모리스 골드하버(1911-2011)는 토륨-씨라고 알려진 탈륨-208로부터 방출된 감마선을 중수소(수소-2) 원자핵에 조사照射해서 양성자와 중성자가 분리되어 나오는 과정을 관측했다. 감마선 에너지는 2.62메가전자볼트였고, 중수소 원자핵의 결합 에너지는 2.1메가전자볼트여서, [55] 중성자 질량은 최소한 1.0084 [56]'원자 질량 단위'였다.

골드하버가 측정했던 중성자 질량은 양성자와 전자의 질량을 더한 1.0078 원자 질량 단위보다 컸기 때문에, 그동안 알려졌던 "중성자가 양성자와 전자로 구성된 복합체"라는 가설은 수면 아래로 가라앉게 되었다. 만약 중성자 질량이 양성자와 전자의 질량을 더한 값보다 적었다면, 그 차이가 '질량 결손'에 해당되어 중성자는 양성자와 전자로 이루어진 복합체일 가능성이 열려 있었다.

채드윅은 질량수가 11인 붕소에 알파 입자가 포획되어, 질량수가 14인 질소와 중성자[질량수가 1]가 만들어 졌을 때, 중성자의 질량을 1.0084 원자 질량 단위로 추산했다. 미국 표준과학연구원이 발행한 [57]최근 자료에 의하면, 중성자 질량은 1.00866491595 원자 질량 단위였다.
…채드윅이 측정한 중성자 질량은 2.62/10000, 즉 0.0262퍼센트의 오차 범위 내에서 정밀도를 보였다.

6.4 입자 가속기

1935년 10월, 채드윅은 케임브리지를 떠나 리버풀 대학교 물리학과에서 '라이온 존스 교수직'을 시작했다. 물리학과의 「조지 홀트 실험실」은 여전히 직류 전기를 사용하고 있었을 정도로 낡았고 시대에 뒤쳐져 있었지만, 그의 머리에는 이미 「조지 홀트 실험실」 지하에서 입자 가속을 위해 '사이클로트론'을 설치하는 구상이 시작되고 있었다. 리버풀에 도착하고 한 달 후에, 채드윅은 스톡홀름으로부터 『중성자 발견』에 기여한 공로로 "노벨 물리학상 수상"의 전보를 받았다. 그 후에 받은 여러 축하 편지 가운데 하나가 11월 27일에 캘리포니아 대학교 버클리에서 보내온 미국 물리학자 어니스트 로런스(1901-1958)의 편지였다.

채드윅 교수께,
이미 여러 해 전에 받았어야 했는데...... 노벨상 수상을 진심으로 축하합니다....... 얼마 전에 '메트로폴리탄 비커스 사社'의 플레밍 박사와 그의 아들과 함께, 채드윅 교수를 위해서 '자기 공명 가속기' 제작을 상세히 의논했습니다....... 그에게 추천 사항, 설계도면, 부품들의 규격을 얼마든지 알려주겠다고 말했습니다....... 우리는 현재 5메가전자볼트의 중수소 원자핵을 10밀리암페어 이상의 전류로 작동하고 있습니다....... 베릴륨으로부터는 중성자를 1초에 100억 개 정도 만들어내고 있습니다....... 「캐번디시 연구소」는 채드윅 교수를 많이 그리워하며 떠난 것을 후회하겠지만, 리버풀이 영국에서 원자핵 물리학의 중심에 서게 되어 많이 위로가 될 것입니다....... 안녕히 계십시오.
어니스트 로런스.

12월 29일, 채드윅은 로런스의 편지에 답장을 썼다.
로런스 교수께,
친절한 축하 편지를 보내주셔서 고맙습니다. 노벨상을 받은 것은

운이 좋아서였습니다. 그럴 자격이 있었는지 따지는 것이 어렵기는 하지만 새로운 곳에서 시작을 잘하게 되어서 다행입니다....... 저는 자기 공명 가속기를 제작하는 일에, '메트로폴리탄 비커스 사'의 플레밍 박사가 도와주시겠다는 소식을 듣고서 기뻤습니다....... 가속기를 설치하는 계획은 그동안 하고 있었지만, 제 연구소에서 실제로 필요한지는 좀 더 생각해 봐야 할 것 같습니다....... 버클리에서 그렇게 큰 이온 전류와 공명 효과가 만들어졌다는 소식에 매우 기뻤고 큰 관심을 가졌습니다....... 가속기를 설치할 때 소요되는 총비용, 운영비용, 설치 장소의 규모를 알고 싶습니다. 운영비용을 미리 알기는 어렵겠지만, 최근 수년간 제 연구소의 운영비용이 일반인들이 담배에 지불하는 금액보다도 적다면 아마 놀라실 것입니다.
새해에도 좋은 일이 있기를 기원합니다.
제임스 채드윅.

로런스는 채드윅 편지에 신속히 답신을 보냈다.
사이클로트론[자기 공명 가속기를 그 당시에 "사이클로트론"이라는 속어로 표현했다]의 예산은 대략 프린스턴 실험실의 사이클로트론을 참조하시면 될 것입니다....... 그들 자료에 의하면 대략 1만2천 달러로 추산되고 있습니다. [그 당시 1파운드는 대략 4달러에 해당했다].

로런스는 흥분에 찬 또 다른 편지를 한 통 보내 왔다.

우리는 최근 소위 “쥐 육종 180”이라고 부르는 악성 종양을 치료하기 위해서 중성자와 엑스선을 비교하는 실험을 진행했습니다. 중성자가 건강한 조직보다 악성 세포에 훨씬 더 효과가 크다는 매우 놀라운 근거를 찾아냈습니다. 간략하게 얘기하자면, 중성자를 사용하여 체외에서 악성 종양을 없애는 데 필요한 [58]선량線量과 쥐를 사망시키는 선량을 측정해서 비교해 보았습니다. 악성 종양을 없애는 것과 쥐를 사망시키는 중성자 선량의 비율이 오히려 엑스선보다 낮았습니다. 실험 결과와 같이 악성 종양이 중성자 광선에 그렇게 민감하다면, 중성자는 암 치료에서 엑스선을 대체하여 치유 확률을 훨씬 더 높게 만들 것입니다....... 우리는 사이클로트론을 연구하여 인간의 암 치료를 위해 노력할 예정입니다.

1936년 5월 11일, 채드윅은 로런스에게 편지를 썼다.

로런스 교수께,

악성 종양에 관한 교수님의 실험 결과는 매우 흥미로웠습니다. 중성자와 인공적으로 만들어낸 원소들이 생물학에 응용될 가능성은 무척 높다고 생각합니다....... 사이클로트론에 사용될 자석 설계에 큰 진전은 없었습니다....... 지금으로서는 캐번디시에서 한 개, 플레밍 박사에게 한 개, 제 실험실에서 한 개가 각각 필요하다고 생각하고 있습니다.......

중성자는 다른 방사선에 비해서 생물 세포에 좀 더 강력한 에너지로 작용하지만, 모든 세포를 동일하게 파괴하지 않고 선택해서, 암을 둘러싼 건강한 세포보다 오히려 암 세포를 더 많이 손상한다. 같은 방사선 양量이더라도, 중성자는 암세포에 치사량이 전달되지만 건강 조직에는 치사량 이하가 전달된다. 엑스선과 같은 '낮은 선형 에너지 전달'의 방사선은 주로 활성 산소종의 생성을 도우며 세포를 손상하지만, '높은 선형 에너지 전달'의 중성자는 생체에서 물 분자에 포함된 양성자와 작용하여 원자핵 구조에 직접 변화를 일으키며 세포를 손상한다. 악성 종양은 낮은 산소 농도를 유지하려는 경향이 있기 때문에 '낮은 선형 에너지 전달'의 방사선에 내성을 갖게 되어, 특정한 치료에서 중성자는 더욱 유리하고 치료 주기가 짧다는 장점을 갖는다. [59]같은 수의 암세포를 제거하기 위해 중성자는 양성자에 비해서 3 분의 1의 양만을 필요로 한다. 그동안 중성자는 [60]침샘 암, 선양 낭포 암, 그리고 뇌종양 중에서도 높은 등급의 신경교종의 치료에 더욱 효과를 보여 왔다.

그 이후에도 두 물리학자들 사이에서는 편지가 계속 이어졌고, [61]1939년 7월, 마침내 리버풀에 37인치 사이클로트론이 설치되어 입자들을 가속하기에 이르렀다. [62]50톤 규모의 전자석을 만든 '메트로폴리탄 비커스 사'에 3,123파운드가 지불되어, 사이클로트론 제작에 들어간 총비용은 5,184파운드였다. 리버풀 대학교와 영국 왕립학회로부터 지원 받은 액수로는 부족했고, 나머지 비용은 채드윅의 노벨 상금이 사용되었다. 그 당시 사이클로트론 제작에 들어간 소요 예산은 현재 금액으로 따져서 약 34만 파운드였다.

사이클로트론에서 자기장과 작용하여 원을 그리며 회전하는 이온들의 각속도는 전하질량 비(전하/질량), 자기장 세기에 각각 비례했다. 각속도가 반지름이 1인 원 둘레(6.28)로 나뉘면, 그 결과는 이온들이 1초 동안 원에서 회전한 횟수, 즉 사이클로트론 진동수였다. 사이클로트론 진동수에 "동일하게" 맞춰서 외부로부터 전기장을 공급하여 이온들을 가속했기 때문에, 채드윅과 로런스는 그들의 편지에서 '자기 공명 가속기'라는 용어를 사용했고, 그것을 간단하게 '사이클로트론'으로 불렀다. 이온들과 동일한 진동수의 전기장이 공급될 때, 에너지가 최대로 전달되어서, "함께 울리는"을 뜻하는 공명共鳴의 낱말이 포함되었다.

1939년, 어니스트 로런스는 60인치 사이클로트론을 개발했고, 1천6백만 전자볼트의 에너지로 중수소 원자핵을 가속하여, 우라늄-238 등의 원자핵과 충돌시키는 실험을 진행했다. 그 당시에는 세계에서 가장 강력한 "원자 파괴기"였지만, 60인치 사이클로트론은 23년간 사용된 다음, 1962년 6월 30일을 끝으로 마감되었다. 1950년대에는 미국 「브룩헤이븐 국립연구소」에 30억(3기가) 전자볼트 코스모트론과 버클리에 60억(6기가) 전자볼트 베바트론이 각각 설치되어, 반反양성자와 반反중성미자뿐만 아니라 초우라늄 원자핵과 강입자들의 실험에 사용되었다.

오늘날 세계에서 가장 강력한 입자 가속기는, 2008년에 스위스 제네바 근처 「유럽 핵입자 물리 연구소」에 설치되어, 2018년부터 "성능 향상" 단계를 거쳐서, 현재 사용 중에 있는 '대형 강입자 충돌기'이다. [63]최대 14조(테라) 전자볼트의 충돌 에너지를 기록했고, 27킬로미터의 원 형태로서, 90년 전 로런스가 발명했던 “사이클로트론의 후손”이다.

1939년에 채드윅은 37인치 사이클로트론을 설치하는 데 5,184파운드를 사용했고, 1946년에 로런스는 록펠러재단으로부터 지원받은 1.25백만 달러의 연구비를 들여서 184인치 사이클로트론을 제작하여 180메가전자볼트의 중수소 원자핵과 360메가전자볼트의 헬륨 원자핵을 가속하는 실험에 성공했다. 2008년에 완료된 ‘대형 강입자 충돌기’ 설치에는, 당시 비용으로 [64]47.5억 달러가 소요되었다. 이 비용은 미국 미식축구 팀 ‘뉴잉글랜드 패트리어츠’의 2021년 가치를 가격으로 환산된 금액과도 비슷하다.

1936년, 채드윅이 입자 가속기의 설치를 승인해 달라고 요청했을 때, 러더포드가 “거대과학”에 대한 거부감으로 그 요청을 거절하여, 한동안 두 물리학자 사이의 관계가 멀어졌던 적이 있었다. 거대과학은 소요되는 예산이 엄청나게 크기 때문에 미국과 같은 초일류 과학 국가의 경우에도, 과학계뿐만 아니라 사회, 정치의 분야에서 많은 논쟁을 불러일으키고 있다.

거대과학은 노벨상 수상과 같은 “국가 위상의 향상”과 “첨단 과학의 발전”에 관련짓기도 하지만, 한편으로는 일부 분야에만 국가 예산이 집중되어서, 다수의 “작은 과학”에 제공되는 연구 기회를 빼앗아 가기도 한다. 이러한 거대과학 예산의 편중으로 인해, 미국 텍사스주 댈러스 남쪽 교외 근처에서 건설 중이던 ‘초전도 초礎충돌기’의 계획이 1993년 빌 클린턴 행정부에 들어오면서 취소된 적이 있었다. 이미 그 당시에 20억 달러의 예산이 소비된 상태였다.

거대과학이 안고 있는 문제를 해결하기 위해서, 그동안 협력이 없었던 적성 국가를 포함하여 전 세계가 평화와 공존을 다지며 여러 분야에서 제휴하는, "새로운 거대과학"의 방안이 모색되고 있다. 스위스 제네바에 본부를 둔 「유럽 핵입자 물리 연구소」는 1954년에 설립되었고, 110개국으로부터 약 16,000명의 과학자들이 참여하여 입자의 기본 구조를 탐사하는 '대형 강입자 충돌기'를 운영하고 있다. 「유럽 핵입자 물리 연구소」가 집행하는 2022년 예산은 약 14.05억 스위스 프랑(거의 유로와 대등)이다. 거대과학의 또 다른 예로서, "길"이라는 라틴어 어원의 [65]'국제 열핵융합 실험 반응로盧'는 유럽연합, 미국, 중국, 인디아, 일본, 러시아, 한국을 포함하여 35개국이 함께 참여하고, 남 프랑스에서 축구장 60개의 면적에 건설 중에 있다. 시설 건설에는 약 180억에서 220억 유로의 예산이 소요될 예정이다.

'양성자'는 원자에 정체성을 주고, '전자'는 원자에 개성을 주지만,[66] '중성자'는 원자에서 동위원소를 구분한다. 원자에서 양성자 수는 원자번호를 주지만, 중성자 수는 원자번호에 더해져서 질량수를 낳는다. 이는 마치 가족들의 경우, 양성자는 가족(집단)을 구별하지만, 중성자는 가족 구성원들의 차이를 헤아리는 것과도 같다.

중성자는 전기적으로 중성이어서 전기장에서 영향을 받지 않지만, 자기장에서는 미세하게 반응한다. 자기장에 반응하는 구조물이 중성자 내부에 숨어있다는 징조였다. 채드윅이 중성자를 발견하고 8년이 지난 후, 미국 물리학자 루이스 월터 앨버레즈(1911-1988)

와 스위스 출신의 미국 물리학자 펠릭스 블로흐(1905-1983)가 중성자 자기 모멘트를 [67]측정하고, 중성자 내부 구조를 밝히는 연구는 계속된다. 1964년, 한국 출신의 미국 물리학자 벤저민 리(이휘소: 1935-1977), 파키스탄 물리학자 미르자 압둘 바키 벡(1934-1990), 네덜란드 출신의 미국 물리학자 아브라함 파이스(1918-2000)는 '표준 모형'을 사용하여 양성자와 중성자의 자기 모멘트 비율이 -3/2이라고 [68]계산하고, 양성자와 중성자를 포함하여 '강强입자'들이 2개 이상의 '쿼크'로 구성된다는 이론을 나중에 이끌어낸다.

07 양자를 찾아서

"양자 이론에서 우리는 엄격한 인과관계에 종속되지 않는다. 그러나 실험을 여러 번 거듭함으로써, 관측을 통해 통계 분포를 유도하고, 그러한 일련의 실험을 되풀이함으로써, 통계 분포에 관련된 객관적 진술에 마침내 우리는 도달한다."
- 베르너 하이젠베르크 (독일 물리학자, 『과학의 전통』, 스미스소니언 협회 강연회, 1973년 4월 2일)

피규어 스케이트 선수가 얼음 위에서 원을 크게 그리며 한 바퀴 회전하기도 하고, 제 자리에서 자신의 몸을 회전축으로 스스로 돌기도 한다. 앞 경우처럼 원을 한 바퀴 회전하는 경우가 '공전'이고, 뒤 경우처럼 제 자리에서 자신의 몸을 회전축으로 스스로 도는 경우가 '자전' 또는 '스핀'에 해당한다.

선수는 얼음 위에서 수직으로 도약을 준비하면서, 자신의 몸에 '각운동량'을 저장한다. 저장된 각운동량은 다음 동작으로 이어지며 회전을 작동하는 회전 잠재력으로서, 일단 공중으로 뛰어 오르며 꼼짝할 수가 없더라도 "관성 모멘트"라고 부르는 물리량을 언제든지 바꿀 수가 있다. 관성 모멘트는 "얼마나 쉽게 회전 속도를 높이는지 또는 낮추는지를 한순간에 결정짓는" 일종의 저항을 나타낸다.

선수가 공중에서 내려오며 팔을 수평으로 쭉 뻗어서 회전 반경을 크게 만들면 관성 모멘트도 크게 만들어져서 회전이 늦어지고,

팔로 몸을 껴안듯이 회전 반경을 작게 만들면 관성 모멘트도 작게 만들어져서, 회전은 더욱 소용돌이치며 빨라진다. 결국 피규어 스케이팅은, 얼마나 많은 각운동량을 몸에 넣고 얼음 위를 뛰어 오르는지, 얼마나 작게 공중에서 관성 모멘트를 만들어 내는지, 얼마나 오래 공중에서 머물 수 있는지에 따른다.

'운동량'이 기준점에 관해서 위치를 변화하며 움직이는 물체의 선형 성질이라면, 각운동량은 기준점에 관해서 위치뿐만 아니라 운동 방향까지 변화하며 움직이는 물체의 회전 성질이다. 운동량은 물체의 질량과 속도에 각각 비례하지만, 원형 궤도에서 회전하는 물체의 각운동량은 질량, 속도, 회전 반지름에 각각 비례하고 회전축 방향을 향한다.

전하의 경우도 크게 다르지 않다. 원형 도선에서 움직이는 전하는 '원형 전류'를 형성하며, 원 안을 통과하는 자기장을 만든다. 1820년 4월 21일에 열린 강연회에서 덴마크 물리학자와 화학자 한스 크리스티안 외르스테드(1777-1851)는 전기와 자기의 관계에 대한 시연을 보였다. 전지 양 끝에 도선을 연결한 다음 스위치를 열었을 때, 나침반 바늘 끝이 항상 가리키던 북쪽에서 벗어나는 것을 보이는 시연이었다. 강연회에 참석했던 많은 청중들이 알아차리지 못할 정도로 짧은 순간이었지만, 나침반 바늘의 작은 움직임은 외르스테드에게 중요한 사건이었다. 1820년 7월 21일에 발표된 [69]논문에서 그는 직사각형 구리판板을 20개 쌓은 볼타 전지를 사용했고, 도선을 반대로 연결하여 전류를 거꾸로 흐르게 했을 때는, 나침반 바늘도 전과 반대 방향으로 벗어난다는 사실을 확인했다.

1826년, 프랑스 물리학자와 수학자 앙드레-마리 앙페르(1775-1836)는 [70]『실험에서 추론된 전기역학 현상의 수학 이론』의 책에서 영구 자석으로부터 관찰된 자기 현상이 "자기 물질의 분자들에 존재하는 작은 전류들"에서 발생한다고 제안했고, 영구 자석과 전류에서 나타난 두 가지 자기 효과가 실제로는 같은 근원에서 출발하고 전기와 자기가 서로 연관된다고 설명했다.

보어 원자에서처럼 원자핵을 중심으로 원형 궤도에서 회전하는 전자는 매우 작은 원형 전류와 같아서, 분간하기 어려울 정도로 자기장을 아주 작게 만들어 미세한 막대자석에 비유되고, 외부 자기장에서는 "돌림 힘"이 작용하여 "자기磁氣 모멘트"라는 물리량으로 표시된다.
…자기 모멘트는 스스로 가장 낮은 위치 에너지에서 자기장에 평행하게 늘어서려는 경향을 보인다.

자기장에 자기 모멘트가 평행(반평행)이면 최소(최대) 자기 에너지를 저장하고, 수직이면 최대 돌림 힘이 작용하여 회전 운동을 유도한다. 자기 모멘트는 표준단위에서 줄/테슬라로 표시되어 마치 "자기장에서 형성된 자기 에너지의 상대적인 크기"를 내보인다.

고전 물리학에 따르면, 원형 궤도에서 회전하는 전하가 갖는 자기 모멘트와 각운동량의 비율, "자기磁氣회전 비율"이라고 부르는 물리량이 자연에 항상 존재한다. 자기 모멘트는 전하의 자기磁氣 양이고, 각운동량은 입자의 역학力學 양이다.
…회전하는 전하는 항상 자기 모멘트에 의해서 표식이 가능하다.

균일한 자기장에서 자기 모멘트에 미치는 "알짜 힘"은 0이지만, 불균일한 자기장에서는 자기 모멘트와 '자기장 기울기(자기장 세기의 거리에 대한 변화율)'의 곱으로 정의된 자기磁氣 힘이 작용한다.

7.1 고전 양자론의 시작

1906년, 헨드릭 로런츠는 [71]『빛과 복사열의 현상에 관한 전자 이론과 응용』의 제목으로 열린 컬럼비아 대학교 강연회에서, 물질의 분자 또는 원자 근처에서 전자들의 전하뿐만 아니라 전류 분포에 관련된 '전자 이론'을 발표했다.

"마치 원형 전류처럼, 물질에서 분자 전류도 전자들의 회전으로 형성되었다."

로런츠는 앙페르가 가정했던 "분자 주변의 전류"를 대신하여 "분자에서 전자들의 회전"을 언급했고, 영구 자석과 원형 전류에서 생긴 두 가지 자기 효과가 근본적으로는 동일하게 전자들에서 출발한다는 사실을 밝혔다.

1915년, 알베르트 아인슈타인과 네덜란드 물리학자 반더르 요하너스 더 하스(1878-1960)는 『앙페르 분자 전류의 존재에 관한 실험적 증명』의 [72]논문에서 적었다.

"앙페르의 '분자 전류'에 비해서, 오히려 로런츠의 '전자 이론'이 더 많은 과학자들로부터 거부를 당했다."

많은 과학자들은 전자들이 자유롭게 회전하여, 복사선 방출 없이, 전류를 계속해서 만드는 것이 불가능하다고 맥스웰 이론에 근거해서 생각했다. 복사선을 방출하면, 자성체 분자들은 그만큼 자기 모멘트를 잃을 수밖에 없었다. 그동안 자기 모멘트 감소가 보고된 적이 없었고, '분자 전류'의 가정은 고전 전자기학 기본 법칙과는 양립할 수 없는 것처럼 느껴졌다.

조지프 존 톰슨의 학생이었던, 영국 물리학자 오언 윌런스 리처드슨(1879-1959)은 자기 모멘트 실험을 [73]제안하면서 자기회전 비율을 계산했다.

…원자에서 전자의 자기 모멘트와 각운동량의 비율, 즉 '자기회전 비율'은 전자 전하질량 비(전하와 질량의 비율)의 절반이다.

양자론을 사용한 보어의 원자모형이 발표된 다음, 원자에서 전자들이 불안정하여 발생한다고 알려진 자기 모멘트의 감소는 그 가능성이 완전히 사라졌다. 이어서 아인슈타인과 더 하스는 분자 전류의 앙페르 가설을 증명하기로 계획을 세웠다. 그들은 자기회전 비율이 원자의 기하적인 크기와 전자의 회전 주기에 상관없이 항상 일정해서, 실험에서 증명이 충분하다고 판단했다.

—자성 물질로부터 측정된 철 분자의 자기회전 비율은 3퍼센트 오차 범위 내에서 "전자 전하질량 비의 절반"이었다.

아인슈타인과 더 하스가 측정했던 전자 자기회전 비율은 정밀한 측정이 이루어지고 올바른 결과 해석이 내려지기[양자역학이 원자 물리학의 기본 학문으로 발전되기]까지 10년을 더 기다려야 했다.

제1차 세계대전이 끝나면서 중단되었던 양자론은 다시 꿈틀거리기 시작했다. 1916년에 독일 물리학자 아르놀트 조머펠트가 보어의 원자모형을 변형해서 좀 더 일반화했던 '보어-조머펠트 이론', 소위 '고전 양자론'이 그 당시에는 거의 전부였다. 대성공에도 불구하고 보어 이론은 수소 분광선을 상세히 구분하는 일에는 불충분했다. 수소 분광선이 더 세분되어 나타난 "미세구조"에 대해서, 보어는 '원형 궤도'를 가정하여 설명할 수 없었지만, 조머펠트는 '타원 궤도'를 가정하여 원자에서 전자 운동을 상대적으로 정확히 예측하는 공식을 유도했다.

평면에서 두 고정된 초점으로부터 거리 합이 일정하게 점들로 모여서 타원을 이루고, 수평 또는 수직 방향으로 원을 늘이거나 줄임으로써 타원이 형성되기도 한다. 전자 운동은 원형 궤도에서 원 중심을 향한 거리의 1개 좌표에서 나타나지만, 타원 궤도에서는 초점과 각도의 2개 좌표에서 표시된다. 고전 물리학의 전자 에너지와 각운동량은, 원형 궤도에서 원 반지름으로 함께 계산되었지만, 타원 궤도에서는 장축과 단축으로 별도 계산되었다.

조머펠트는 장축과 단축으로 표시된 타원 궤도에서 [74]"양자 규칙"을 내세웠고, 주양자수와 궤도 양자수를 별도로 사용하여 에너지와 궤도 각운동량을 나타냈다. 보어 원자에서 주양자수는 원형 궤도의 크기와 에너지를 내보였지만, 조머펠트의 주양자수와 궤도 양자수는 궤도의 크기와 모양, 그리고 에너지와 궤도 각운동량을 각각 드러냈다. 조머펠트의 표기법에 따르면, [75]궤도 양자수는 주양자수보다 크지 않고 0을 제외한 정수였으며, 적어질수록 그만큼 더 납작한 형태로 타원 궤도가 변해 갔다. 예를 들어서, 주양자수가 3이면 궤도 양자수는 1, 2, 3이 가능하여, (3,1), (3,2), (3,3)의 양자 상태를 낳았다. 괄호 안 첫 번째가 주양자수였고, 두 번째가 궤도 양자수였다. [현대 물리학에서, 궤도 양자수는 주양자수보다 적고, 0을 포함한다].

궤도 양자수는 타원 모양을 결정했고, 타원 장축과 단축의 비율이 바로 주양자수와 궤도 양자수의 비율이었다. 장축은 긴지름이고 단축은 짧은지름이어서 주양자수와 궤도 양자수가 같으면 원으로 나타났고, 그 비율이 커질수록 또는 궤도 양자수가 적어질수록 점점 더 타원은 납작해져 갔다. 반半단축(단축의 절반)에 평행하고 초점으로부터 타원 위에 있는 한 점까지 거리, 즉 "세마이-라투스 랙텀"이라고 부르는 '수직 반지름'은 타원 위 꼭지 점에서 곡률 반지름을 나타냈으며, 궤도 양자수 제곱과 '[76]보어 반지름'의 곱으로 계산이 되었다.

장축과 단축, 즉 주양자수와 궤도 양자수의 비율이 커지면서 납작한 타원 모습들이 나타났고, 다시 적어지면서 타원들은 점차 원圓 모습으로 되돌아갔다. 궤도 양자수가 다르더라도, 주양자수가 동일하면, 조머펠트의 타원 궤도들은 때로는 그 차이들을 드러내지 않은 채 [77]'겹침'의 양자 상태를 유지했다. '겹침'의 양자 상태에서 타원은 숨었고 원 모습만 보였으며, 에너지는 순전히 주양자수의 제곱에만 반비례했다. 외부로부터 원자에 작은 힘이 작용해서 '겹침' 상태가 해제되어 '안 겹침'으로 나타나면, 겹쳐졌던 에너지는 여럿으로 분할되어 띄엄띄엄 나타났다.

좀 더 실제에 가까운 원자모형에 다가가기 위해서, 조머펠트는 타원 궤도들로 이루어진 3차원 타원체에서 전자 운동을 서술했다. 그는 각도를 방위각과 극각極角으로 따로 분리하여, 거리와 방위각과 극각의 3개의 '독립 매개변수'를 일반화하면서, '궤도 각운동량의 수직 성분'도 운동 상수로서 세 번째 양자수의 자격을 얻었다. 세 번째 양자수는 궤도 각운동량을 기준면에 수직인 축에 투영해서 나타난 양자화 결과였고, 수직축은 보통 자기장 방향을 기준으로 정해졌기 때문에, "자기 양자수"라고 불렸다. '양자 규칙'에 따라서 에너지, 궤도 각운동량, 궤도 각운동량의 수직 성분은 각각 주양자수, 궤도 양자수, 자기 양자수로 표시되었다.
…주양자수는 전자 궤도의 크기, 궤도 양자수는 전자 궤도의 모양, 자기 양자수는 전자 궤도의 공간적인 방향을 나타냈다.

전자 궤도가 놓인 수평면이 기준면에 '기울임 각'만큼 기울어져 놓였을 때, 자기 양자수는 수직축에 투영된 궤도 각운동량의 그림자였다. 빗변이 궤도 양자수이고 기울임 각이 사이각인 직각 삼각형에서 자기 양자수는 밑변에 해당했다. 궤도 양자수가 1이고 기울임 각이 0도(회전축과 수직축이 평행), 90도(회전축이 수직축에 수직), 180도(회전축이 수직축에 반反평행)이면, 자기 양자수는 각각 +1, 0, -1의 값을 가졌다.

공간에 띄엄띄엄 남기는 궤도 각운동량의 흔적은 '공간 양자화'의 효과였다.

빛을 물체에 비춰서 그 뒤에 생긴 그림자로부터 물체 크기와 방향을 보는 것처럼, 궤도 각운동량은 마치 막대자석과 같은 원자 자기 모멘트를 자기장에 비춰서 '공간'에서 띄엄띄엄 투영돼 눈에 보이도록 자기 양자수를 표식으로 제공한다.

전자 궤도에 기초를 둔 보어와 조머펠트의 고전 양자론에도 약점은 있었다. 궤도 양자수가 주양자수보다 크지 않았고, "0의 조건이 제외"되어 있었다. 만약 궤도 양자수가 0이면, 주양자수와 궤도 양자수의 비율은 무한대가 되어, 타원 궤도가 직선으로 나타나야 했고, 전자는 원자핵과 충돌해야만 했다. 조머펠트는 궤도 양자수가 0인 경우를 단지 "비非물리학적"이라는 이유로 제외할 수밖에 없었다.

볼프강 파울리, 베르너 하이젠베르크, 막스 보른은 원자의 '궤도 모형'을 의심하기 시작하고, 베르너 하이젠베르크와 에르빈 슈뢰딩거가 발견하는 양자역학을 통해, 고전 양자론에서 발생한 문제들도 마침내 하나둘씩 풀려 나가며 답을 찾는다.

학문에서 구태여 중요성의 서열을 따진다면, 19세기와 20세기 초까지만 하더라도 독일에서는 실험물리학이 이론물리학보다 한 단계 더 높은 위치에 있었다. 그러나 이러한 현상도 20세기 초에 뮌헨 대학교 아르놀트 조머펠트(1868-1951)와 괴팅겐 대학교 막스 보른(1882-1970)이 등장하면서 뒤바뀌었다. 이론물리학이 주主원동력이 되었고, 실험물리학은 오히려 이론을 검증하거나 발전시키기 위해 활용되었다.

조머펠트의 학생과 박사후연구원 출신 과학자들로, 베르너 하이젠베르크, 볼프강 파울리, 피터 디바이, 한스 베테, 라이너스 폴링, 이지도어 라비, 막스 폰 라우에, 발터 하이틀러, 루돌프 파이얼스,

알프레트 랑데, 레옹 브릴루앙, 에드워드 콘던, 필립 모스, 등이 있다. 그리고 막스 보른의 학생이거나 조수였던 과학자들에는, 막스 델브뤼크, 지그프리트 플뤼게, 프리드리히 훈트, 에른스트 파수쿠알 요르단, 마리아 괴퍼트메이어, 로버트 오펜하이머, 빅토어 바이스코프, 엔리코 페르미, 베르너 하이젠베르크, 게르하르트 헤르츠베르크, 볼프강 파울리, 에드워드 텔러, 유진 폴 위그너, 발터 하이틀러, 등이 포함된다. 조머펠트는 노벨 물리학상의 후보자로서 누구보다도 많이 지명되었지만 수상은 끝내 이루지 못했다. 그의 학생과 박사후연구원들 중 7명이 노벨 물리학상과 화학상을 받았다. 반면에 막스 보른은 1954년에 노벨 물리학상을 수상했다.

톰슨과 러더포드의 케임브리지와 맨체스터가 "원자 내부를 손으로 만진 실험물리학 공장"이었다면, 조머펠트와 보른의 뮌헨과 괴팅겐은 "원자 내부를 머리로 그린 이론물리학 계산소"였다.

7.2 슈테른과 아인슈타인

[78]1912년 4월, 독일 물리학자 오토 슈테른(1888-1969)은 브레슬라우 대학교에서 오토 사쿠르 교수의 지도하에 『응집 용액의 삼투압과, 저온 유기 용제의 이산화탄소 응집 용액에 대한 헨리 법칙의 유용성』의 박사학위 논문을 제출했다. 그 당시 브레슬라우는 베를린 동쪽에서 가장 큰 도시였고, 브레슬라우 대학교는 제2차 세계대전이 끝나고 '포츠담 회의' 결과로, 폴란드 소속의 브로츠와프 대학교로 대체된다. 브레슬라우 대학교는 9명의 노벨 문학상, 물리학상, 화학상, 의학상 수상자를 배출했다.

1912년 5월, 박사학위를 마친 슈테른은 독일 화학자 프리츠 하버의 소개로, 프라하에 있는 카렐-독일 대학교에서, 아인슈타인의 조수 겸 박사후연구원 일을 시작했다. 슈테른은 처음 만났던 아인슈타인의 모습을, 취리히에서 가진 [79]1961년 인터뷰에서 생생하게 기억했다.

"만나기 전 긴 수염에 매우 학식이 높은 과학자의 모습을 기대했었는데 그런 모습을 발견하지 못했다. 대신 책상 뒤편에는 넥타이도 매지 않은 이탈리아 도로 수선공 차림으로 한 분이 앉아 계셨다. 그분이 아인슈타인이었다. 그는 지나칠 정도로 친절했다. 저녁에 다시 만났을 때는 양복을 입으셨고, 면도도 한 상태였다. 하마터면 못 알아볼 뻔했다."

물리화학자인 발터 네른스트(1864-1941)나 프리츠 하버(1868-1934) 대신, 아인슈타인을 박사후연구원 지도교수로 선택한 이유에 대해 슈테른은 [80]인터뷰에서 대답했다.

"그를 만나 본 적은 없었지만 그가 위대한 분이라는 것을 알고 있었다. 그 당시 그가 위대하다는 사실은 알만한 과학자들 사이에서는 널리 공감대가 이미 형성되고 있었다....... 사쿠르 교수와 의논했고, 그도 동의하여 아인슈타인과 가까운 하버 교수에게 추천을 요청했고, 마침내 아인슈타인 교수의 조수가 되었다."

프라하에서의 생활은 단 두 달뿐이었다. 1912년 8월, 취리히 연방 공과대학교에서 이론물리학 교수직을 제안 받은 아인슈타인을 따라서 슈테른도 함께 취리히로 자리를 옮겼다. 그 당시 아인슈타인은 33살이었고, 프라하에 머물렀던 16개월 동안 11편의 논문을 발표했다. 그중 한 편이 5년 후에 발표될 '일반 상대성 원리'를 미리 알린 [81]『빛 전파傳播에 중력이 미치는 영향』의 논문이었다.

슈테른은 아인슈타인의 첫 번째 박사후연구원이었고, 1913년 6월에는 하빌리타치온 자격심사를 위해서 신청서를 제출했다. 독일어 사용 국가에서, 하빌리타치온 과정은 대학에서 강의할 자격과 교수 임명을 위해 꼭 통과해야 하는 과정이었다. 그는 신청서와 함께 '독창적 연구 요약서'로서 『단원자 고체의 증기 압력에 대한 운동 이론』의 [82]논문을 제출했다. 그의 하빌리타치온 위원회는 물리학자 알베르트 아인슈타인, 물리학자 피에르 바이스, 화학자 에밀 바우르로 구성되었다. 아인슈타인은 슈테른의 하빌리타치온 자격심사 승인을 위해서 매우 구체적으로 추천서를 작성했다.

- 고체 상태 증기 압력에 대한 이론적인 해석은 네른스트의 열 이론을 설명하기 위해 매우 중요할 뿐만 아니라, 오늘날 가장 뛰어난 물리학자들이 도전해온 과제이다....... 슈테른은 어떤 특별한 가설도 거치지 않고 기체 운동 이론을 사용하여 공식 유도에 성공했다.

그리고 추천서 끝에서 의견을 적었다.

- 슈테른이 유도한 공식은 영구히 사용될 가치가 있다. 그가 고안한 방법은 놀랍게도 간결하게 그의 목표를 성취했고, 특별한 재능을 보여 주었다.

에밀 바우르도 슈테른이 제출한 논문이 의심할 여지없이 뛰어나다고 평가한 아인슈타인과 의견을 같이했다. 그는 취리히 연방공과대학교에서 슈테른 강의가 곧 개설되기를 희망했고, 이를 위해 슈테른이 모든 조건을 충족한다고 말했다. 그 당시 뛰어난 두 과학자로부터 들었던 이러한 찬사는 박사학위 논문을 마친지 1년이 조금 넘은 젊은 교수 지망자에게는 대단한 명예였다. 1913년 7월 22일, 슈테른은 하빌리타치온 자격을 승인받았고, 8월 초에는 한국 대학 강사와 비슷한 "사私강사(프리바트도슨트)"로 임명되었다.

취리히에서 지내는 동안 아인슈타인의 영향으로 슈테른은 광양자, 원자 속성, 자기磁氣, 통계역학에 관심을 가졌고, 아인슈타인과 함께 『절대 온도 0도에서 분자 동요에 관한 논의』의 [83]논문을 제출했다. '0점 에너지'는 원자나 분자가 갖는 가장 낮은 에너지로서, 고전 물리학 물질에서 당연히 0이지만, 양자 물질에서는 절대온도 0도에서도 여전히 진동수에 비례하는 양으로 남는다. 1911년 10월 30일부터 11월 3일까지 브뤼셀에서 『복사와 양자 이론』의 주제로 열린 〈제1회 솔베이 회의〉에서 막스 플랑크는 0점 에너지가 포함된 [84]두 번째 복사 법칙을 발표하여 물리학계에서 큰 반향을 불러 일으켰다. [1900년에 발표된 첫 번째 복사 법칙에는 0점 에너지가 포함되지 않았다].
…절대온도 0도(또는 0도 근처)에서, 진동자 평균 에너지는 유한한 값, 플랑크 상수와 진동수의 절반을 곱한 양이다.

아인슈타인과 슈테른은 0점 에너지가 포함된 플랑크의 두 번째 복사 법칙을 사용하여 낮은 온도에서 수소 분자들의 비열을 계산했다. 정해진 온도에서 수소 분자들은 모두 같은 각속도로 움직이고, 회전 운동 에너지가 진동자 평균 에너지와 동일한 진동수에서 같다고 가정되었다. 그들은 플랑크의 0점 에너지가 포함되었을 때,

발터 네른스트의 학생[1906년 박사학위]이었던 독일 화학자 아르놀트 오이켄(1884-1950)의 [85]실험 결과와 비교적 잘 일치하는 비열比熱 곡선을 보여 주었지만, 얼마 지나지 않아서 그들의 논문을 스스로 [86]취소했다.

플랑크의 두 번째 복사 법칙은 고정된 진동수에서 조화 진동자들을 전제로 취급되어서, 온도에 의존하는 진동수에서 회전하는 분자들에 대해서도 적용된다는 사실을 기대할 수 없었다. 더욱 문제가 되었던 것은 아인슈타인과 슈테른이 어떤 불연속성에도 의존하지 않고 0점 에너지를 사용하여 플랑크의 복사 법칙을 유도할 수 있다는 데 있었다. 그들이 계산했던 0점 에너지는 플랑크의 '2배'였고, 그들의 0점 에너지가 사용되었을 때 결과는, 오이켄이 측정한 수소 비열의 실험값에서 크게 벗어나 있었다.

1913년 10월 27일부터 31일까지 브뤼셀에서 『물질 구조』의 주제로 열린 〈제2회 솔베이 회의〉에서 아인슈타인은 0점 에너지의 주장을 공식적으로 철회한다고 알렸다.

"저와 슈테른이 제시했던, 0점 에너지의 주장은 타당하다고 생각되지 않습니다. 우리가 플랑크 복사 법칙을 유도하기 위해서 사용했던 이론에 기초하여 계산한 결과에 따르면, 0점 에너지의 존재를 근거로 내세워서 조사했던 과정은 모순으로 이어졌습니다."

그들은 회전하는 분자들을 양자화하지 않았고, 에너지가 온도에 따라 연속해서 변하도록 놓아두었다. 그뿐만 아니라 0점 에너지가 진동하는 전자나 회전하는 이원자 분자의 물체에만 포함되었고, 전기장과 자기장에는 적용되지 않았다.[87] 나중에 밝혀진 사실이었지만, 표준 압력 이하 [88]액체 헬륨이 절대 온도 0도 근처에서 잘 응고되지 않았던 이유도 바로 0점 에너지가 원자들의 결정 구조를 깨트리기에 충분했기 때문이었다. 0점 에너지는 양자역학에서 "불확정성 원리"의 [89]결과이기도 했다. [현대 물리학에서 진공은 그냥 고요한 '텅 빔'이 아니라 관측 가능한 결과를 갖고 심하게 흔들리는(요동치는) 양자 상태이며, 조화 진동자와 전자磁기장의 0점 에너지에 그 뿌리를 두고 있다].

슈테른은 가끔씩 아인슈타인의 연구실에 들르곤 했다. 그 당시에 그곳은 취리히 연구소에서 흡연이 허락된 유일한 장소였다. 아인슈타인도 이따금 그를 방문하여 양자 이론의 미해결 문제들에 관해 활발하게 의견을 나누었다. 취리히에서 친분을 쌓은 많은 물리학자들 가운데, 마침 방문 중이던 파울 에렌페스트(1880-1933)도 있었다. 에렌페스트는 네른스트 '열 이론'에 관심을 많이 보였고, 슈테른에게 자신의 저서인 『통계역학』 책 한 권을 나중에 보내주기도 했다.

슈테른이 취리히에서 만난 또 다른 과학자는 결정結晶에서 엑스선 에돌이(또는 회절) 현상을 처음으로 발견한 독일 물리학자 막스 폰 라우에(1879-1960)였다. 둘은 평생 동안 친구로 지냈다. 1913년에 발표된 보어 원자에 대해서도 의견을 함께 나누었다. 그동안 배웠던 물리학과 달리 모든 것이 새로운 방식으로 출발했다는 점에서 그들은 큰 충격을 받았다. 분노 끝에 그들은 맹세했다. "만약 말도 안 되는 보어 논문이 사실로 밝혀진다면, 우리는 물리학을 그만두자!"

그들이 취리히 근처 산에 올라서, 한 손을 위로 쭉 들어 올리고 다른 손은 앞으로 쑥 내밀어 서로 잡으면서, 지금도 그림과 동상에 남아 있는 스위스 전통의 "뤼틀리 맹세"를 했다는 소문을 오스트리아 물리학자 볼프강 파울리는 나중에 전했다.

그들은 물론 물리학을 그만두지 않았다. 파울리가 언급했던 뤼틀리 맹세는 15세기에 스위스를 지배했던 합스부르크가家에 대항했던 역사로 기록되어 있고, 이를 바탕으로 프리드리히 실러가 쓴 희곡 『빌헬름 텔』에서 등장한다. 뤼틀리 맹세는 사실상 합스부르크가家에게는 "반란"이었지만, 얄궂게도 10년이 채 지나지 않아서 보어가 옳다는 확인을 오히려 슈테른이 제공한다.

라우에와 함께 맹세했던 당시에 대해서, 슈테른은 아인슈타인이 그들보다 훨씬 높은 통찰력과 미래를 향한 식견을 가졌었다고 취리히 인터뷰에서 밝혔다.

"아인슈타인은, 자신도 보어 원자와 같은 것을 생각했다, 라고 말한 적이 있다. 적어도 아인슈타인은 나와 라우에처럼 멍청하지는 않았다."

슈테른은 이론 물리화학 논문을 제출하여 하빌리타치온을 통과했지만, 실제로 이론 물리화학자로서 훈련을 받은 적은 없었다. 그는 주로 아인슈타인이 연구회 방식의 콜로퀴움에서 진행한 강의를 통해서 이론물리학을 공부했다.

"아인슈타인은 그의 강의를 한 번도 미리 준비한 적이 없었다. 그의 강의는 즉흥적이었지만, 실제로 흥미로웠고 매우 수준이 높았다....... 나는 그로부터 "궤르뎅켄"을 배웠다....... 가끔은 터무니없는 것을 생각하는 습관도 익혔다. 그는 실수할 때마다 기꺼이 드러내서 밝히곤 했다. 그럴 때는 항상 90)91)'주主는 내가 생각했던 대로 해주시지 않았을 뿐, 내 잘못은 아니다.'라고 말하면서 그의 실수를 인정했다."

그가 아인슈타인으로부터 배운 또 하나는 "궤르뎅켄, 측면적 사고"였다. 당장 확실하지는 않지만 추리를 통해서 문제를 해결하는 일종의 창의적 접근법이었다. 우리는 그것을 "틀에 얽매이지 않는 생각과 열린 마음"이라고 부른다.

7.3 프랑크푸르트에서 막스 보른

1914년 6월에 새로 설립된 '프랑크푸르트 암마인 왕립 대학교' 이론물리학 교수(오르디나리우스)로 임용된 막스 폰 라우에는 친한 친구인 오토 슈테른을 조수로 임명했다. [막스 폰 라우에는 '1914년 노벨 물리학상 수상자'였다]. 취리히에서도 슈테른의 사私강사 신분이 동시에 그대로 유지된다는 조건에서였다. 프랑크푸르트 암마인 왕립 대학교는 1932년에 '요한 폰 괴테 대학교'로 이름이 바뀌었고, 지금은 정식 이름으로 '괴테 프랑크푸르트 암마인 대학교'이며, 줄여서 '괴테 대학교'라고도 불린다.

제1차 세계대전이 일어나자 슈테른은 독일 육군에 자원입대하여, 그 당시에 러시아가 점령하고 있었던 폴란드 롬샤 기상대에서 기상학자로 근무했다. 기상대 근무는 비교적 자유로워서 열역학에 관련된 논문을 2편 쓰기도 했다. 한번은 슈테른을 태운 기상 감시

항공기가 러시아군에게 격추되었고, 운이 좋게도 슈테른은 무사히 살아남았다. 그 이후로는 비행기 타는 것을 꺼렸고 미국과 유럽 사이를 여행할 때면 여객용 선박을 선호하게 되었다. 전쟁 동안 많은 과학자들이 여러 곳에서 군사 연구를 담당하고 있었는데 그중 하나가 베를린 대학교 발터 네른스트 실험실이었다. 1918년 11월부터 오토 슈테른은 실험물리학자 제임스 프랑크와 실험 화학자 막스 볼머와 함께 네른스트 실험실에서 연구하면서 '슈테른-볼머 관계'라고 알려진 "분자 간間 불활성화 과정 동역학"에 관해서 실험 논문 3편을 작성했다. 전쟁 동안 네른스트 실험실에서 쌓은 경험으로 슈테른은 이론물리학자에서 실험물리학자로 바뀌었다.

제1차 세계대전이 끝나고 참전 군인들이 놓친 학업을 보충하기 위해서, 프랑크푸르트 암마인 대학교는 3학기 제도를 신설했고, 학교로부터 열역학 강의를 요청받은 슈테른은 프랑크푸르트로 다시 돌아 왔다. 막스 폰 라우에는 베를린 대학교에서 교수가 되어 프랑크푸르트를 떠난 뒤였다. 대신 이론물리학자 막스 보른은 교수(오르디나리우스)가 되어 베를린 대학교에서 프랑크푸르트로 자리를 옮겼다. 자연스럽게 슈테른은 막스 보른의 조수가 되었다. 보른 교수의 「이론물리학 연구소」에는 사강사 신분의 독일 물리학자 알프레트 랑데, 조수 엘리자베스 보르만, 아주 유능한 실험 기술자 아돌프 슈미트가 있었다. 막스 보른은 그의 자서전에서 처음 만난 슈테른에 대해 92)서술했다.

-나는 최고 수준의 사강사를 발견하고 매우 기뻤다. 그는 성격이 좋고 유쾌해서 금방 연구소 일원이 되어 우리 일을 주도해 나아갔

다. 그는 루이 두노예가 처음 창안했던 "분자광선"을 사용하여 기체에서 원자와 분자의 낱개 성질을 측정할 예정이었다. 그의 첫 번째 실험 장치는 "맥스웰 속도 분포 법칙"을 직접 증명하고 평균속도를 측정하도록 설계되었다. 나는 그 실험에 크게 매료되어서 실험실, 작업장, 기술자에 관련된 모든 수단을 동원했다.
- 실험실 방이 두 개 있었는데, 방 하나에 학생들이 있었고...... 다른 작은 방에 슈테른의 실험 장치가 놓여 있어서, 항상 그의 실험을 지켜보았다. 그리고 그의 실험실 운영을 보고서 나는 매우 부러워했다. 별로 손을 대지 않고서도 실험 장치가 제대로 잘 사용되었기 때문이었다. 그도 나와 같이 그렇게 손재주가 좋아 보이지 않았지만, 매우 우수한 기술자인 아돌프 슈미트가 옆에서 돌봐 주었다. 슈테른은 무엇을 할지 슈미트에게 얘기만 하면 되었다.

슈테른이 프랑크푸르트에서 처음 시작한 연구는 낮은 밀도 분자들이 거의 비슷한 속도와 한 방향으로 움직이는 '분자광선' 실험이었다. [93]1911년에 프랑스 물리학자 루이 두노예(1880-1960)가 [94]약 1,000 분의 3과 100 분의 1기압 사이 진공에서 분자광선 실험을 처음 알린 뒤였다. 소듐 분자들로 이루어진 증기가 직선으로 곧게 나아가며, 냉각된 액체 공기로 차가와진 벽 위에, 그 앞에 놓인 장해물의 뚜렷한 형상을 그림자로 만들어낸 실험이었다. [1토르는 760 분의 1기압이다].

두노예 실험 장치는 크게 시료방, 조준방, 관측방으로 이루어진 유리관이었다. 시료방에서 소듐을 가열해서 증발된 분자들이, 두 개 좁은 관으로 양쪽에 연결된 조준방을 통과하며 곧게 직진하여 분자광선을 형성했고, 다른 한쪽 관측방에서는 분자광선이 소듐 퇴적층으로 나타나도록 설계되었다. 분자광선은 기체에서 상호작용이 무시될 정도로 충분한 거리만큼 떨어져 분리된, 무수히 많은 낱개 원자나 분자들로 구성되었다.

두노예 실험이 알려지고 나서, 슈테른은 실험 방법의 단순성과 눈에 보이는 직접성으로, 분자광선에 크게 끌렸다.

'분자광선'은 홀로 떨어진, 낱개 원자나 분자의 실험 가능성을 열어 주었다.

분자광선 실험이 정량적으로 헤아려지기 위해서는 먼저 그것에 대한 속성부터 제대로 조사돼야 했다. 그중에서도 속도 분포의 파악이 우선시되었다. 이런 점에서 슈테른의 실험은 자신을 위해서 중요했지만 분자광선 기술을 앞으로 사용하게 될 다른 실험실을 위해서도 토양을 다지는 첫 걸음이 되었다.

슈테른은 분자광선 실험을 통해서 기체의 '낱개 분자' 성질을 측정할 수 있다고 확신했고, 기체 분자의 맥스웰-볼츠만 속도 분포를 직접 확인하기 위해서 기체 분자 평균 속도를 단순하고 편리하게 측정하는 실험 장치를 설계했다.

은銀 분자광선의 시작 재료로서, 은을 녹인 묽은 죽 형태의 "은반죽"에 담겼던 가느다란 백금 막대가 이롭게 쓰였고, 나중에는 열熱 코일로 감긴 작은 그릇에 은銀 조각이 놓인 채 전압이 가해져서, 원자들이 기체 상태로 증발돼 사용되었다. '실틈(실낱같이 작은 구멍)'과 차가운 금속판은 분자광선 재료 주위를 분당 최대 2,400

회 회전할 수 있는 바닥판 위에 설치되었다. 분출된 '은' 원자들은 좁은 실틈 사이로 나란히 곧게 모아져서 분자광선을 이루며 차가운 금속판에 부딪치고, 수증기가 물방울 되듯이 은빛을 펼치며 자리에 내려앉아 그 위치와 모양이 현미경으로 관찰되었다.

원래 계획은 맥스웰-볼츠만 속도 분포를 측정할 예정이었지만, 슈테른은 원자들의 평균 속도만 측정했다. 은 반죽을 묻힌 백금 막대를 섭씨 961도에서 가열하여 분자광선을 만들었을 때, 측정된 은 원자 속도는 1초당 650미터였고, 계산된 평균 속도는 1초당 616미터였다. 실험은 6퍼센트 오차 범위 내에서 맥스웰-볼츠만 공식과 일치함을 보였고, 슈테른은 분자광선 실험의 중요성을 강조했다.

"이번 실험으로 분자들의 속도를 거의 균일하게 준비하는 것이 가능해 졌다."

슈테른이 시험한 은 분자 속도의 측정은 물리학에서 중요한 순간으로 기록되었다. 이후로는, 잘 정의된 운동량 값에 맞춰서 낱개 분자를 준비하고, 외부 전기장이나 자기장이나 또는 다른 분자들과 상호작용으로 유도된 운동량 변화를 정밀하게 조사하는 것이 가능해 졌다.

…슈테른의 첫 번째 분자광선 측정은 양자 물리학 여정에서 기념비적인 실험이었다.

슈테른은 아인슈타인으로부터 받았던 이론 훈련으로 실험과 실험 장치에 대한 상상력은 발휘할 수 있었지만, 실험실에서 그 상상력을 구현하기 위해 요구되는 기술과 손재주는 여전히 부족했다.

그는 경험 많은 실험물리학자의 도움이 절실하게 필요했다.

'맥스웰-볼츠만 분포'는 서로 충돌하는 순간을 제외하고 아무런 운동량과 에너지 교환 없이 자유롭게 움직이는 '이상 기체'에서 원자나 분자 속도를 지정된 온도에서 예측할 수 있었다.

…맥스웰-볼츠만 분포에서 표준 편차를 고려하여 계산된 입자의 [95]이차평균 속도는 이상기체 상수와 절대온도를 곱한 양의 3배를 입자 몰 질량으로 나눠서, 그 제곱근으로 계산된다. 한편, 평균 속도는 3배 대신 2배, 최적 속도는 3배 대신 약 2.55배로 대체해서 계산된다.

1912년 2월, 발터 게를라흐(1889-1979)는 튀빙겐 대학교에서 물리학 박사학위를 받았다. 그의 지도교수는 수소 분광선에서 '파셴 계열'을 처음 발견했던 프리드리히 파셴이었다. 매우 엄격하고 근면해서 "연구소 독재자"라고 불릴 정도였던 파셴조차 게를라흐의 성격과 실험 능력을 높게 [96]평가했다.

"물리학에서 가장 힘든 과제들 중 하나인 '새로운 실험에서 나타나는 여러 특징들을 모두 파악하고, 그것을 정당화하는 소질'을 그는 천부적으로 지니고 있었다."

제1차 세계대전이 일어나자 게를라흐는 독일 육군으로 징집되었고, 참전하는 동안 하빌리타치온을 마치고 튀빙겐 대학교와 괴팅겐 대학교에서 사강사로서 학생들을 가르쳤다. 1919년 1월 27일에 군에서 제대한 게를라흐는, 나중에 바이엘 社로 명칭이 바뀐 엘버펠트 파르벤파브리켄 社의 「물리학 연구소」에서 주임으로 근무했고, 1920년 10월 1일부터 프랑크푸르트 암마인 대학교의 초대 총장이었고 「실험물리학 연구소」 소장인 리처드 바흐스무트(1868-1941)의 조수가 된 다음, 한 달 후에 부교수(엑스트라오르디나리우스)로 승진했다. 「실험물리학 연구소」는 슈테른이 연구하던 막스 보른의 「이론물리학 연구소」와 같은 건물에 있었다.

호기심 많고 진취적이던 게를라흐에게, 슈테른이 연구하던 보른의 「이론물리학 연구소」는 바흐스무트의 「실험물리학 연구소」보다 더 잘 어울리는 환경을 갖추고 있었다. 막스 보른은 그의 조수들인 오토 슈테른, 엘리자베스 보르만, 알프레트 랑데와 더불어 이론만큼이나 실험에도 관여하고 있었고, 게를라흐에게 회의를 같이하고 그들의 실험도 도와달라고 부탁했다. 그는 게를라흐와 함께 '전자 친화도'와 '빛 산란'에 관한 논문을 발표하기도 했다.

게를라흐에게는 그동안 생각해 둔 과제가 따로 있었다. 자석 근처의 자성 물질에 유도된 자기 모멘트와 관련하여, "자기화磁氣化와 물질 구조의 관계"였다. 특히, 비스무트 합금에서, 비스무트 원자들이 상자성常磁性인지 또는 반자성反磁性인지에 관해 대답을 찾고 있었다. '상자성'은 알루미늄이나 백금처럼 자기장과 같은 방향으로, 즉 자기화가 증가하는 방법으로 진행되다가 자기장이 제거되면 곧 사라지는 반면에, '반자성'은 비스무트처럼 자기장과 반대 방향으로, 즉 자기화가 감소하는 방법으로 진행된다.

게를라흐는 위치에 따라 균일하지 않은 '불균일 자기장'에서, 비스무트 원자들이 힘을 받아 경로가 한쪽으로 휘어지는 '편향偏向'을 확인하기 위해서, 분자광선 실험에 착수하기로 결심했다. 비스무트 원자들이 불균일 자기장 방향으로 휘어지면 상자성으로, 반대 방향으로 휘어지면 반자성으로 아마도 생각했을 것이다. [전하는 자기장에서 힘을 받아 한쪽으로 휘어지는 반면에, 자기 모멘트는 '불균일 자기장'에서 힘을 받아 한쪽으로 휘어진다. 자기 모멘트는 '균일한 자기장'에서는 힘을 받지 않는다. 마이클 패러데이, 조지프 존 톰슨, 어니스트 러더포드는 자기장에서 전하가 휘어지는 편향을 관찰했다].

…'눈에 보이는 크기'의 비스무트 결정에서 이미 확인된 반자성을 '원자 단위'에서 입증하려는 야심찬 실험이었다.

게를라흐가 분자광선에 가졌던 관심은, 두노예가 소듐 광선을 관측했다는 소식을 듣고, 비록 성공하지는 못했지만, 1912년에 파셴 실험실에서 다른 금속에 대해 시도했던 실험으로부터 비롯되었다.

눈에 보이는 결정 대신 원자 단위의 "매우 약한 분자광선"이 불균일 자기장에서 한쪽으로 휘어지는 모습을 관찰하기 위해서는 "그만큼 강력한 자기 힘"이 필요했다. 가능하면 거대한 '자기장 기울기', 즉 자기장의 거리에 대한 커다란 변화가 필수적이어서 그는 자석의 기하적인 모양을 여러 형태로 준비하여 시험하고 있었다. 이를 지켜본 막스 보른은 비스무트의 분자광선 실험이 실제로 성과를 거둘는지에 회의懷疑를 보였고, 게를라흐는 튀빙겐 시절 그의 이론물리학 교수였던 에드가 마이어(1879-1960)에게서 들은 경구를 인용해서 말했다.

"시도조차 하지 않는 실험만큼 어리석은 짓은 없습니다."

이 경구는 나중에 '슈테른-게를라흐 실험'에도 그대로 적용된다.

1921년 2월, 보른은 아인슈타인에게 보낸 편지에서 당시 게를라흐 모습을 설명했다.

- 게를라흐라는 대단한 실험물리학자가 우리와 함께 일하고 있습니다. 그는 에너지가 넘치고, 총명하고, 솜씨 좋고, 항상 도움이 되는 인물입니다.

슈테른과 게를라흐가 분자광선 실험을 시작할 당시, 가장 발달된 양자 이론은 조머펠트와 디바이가 보어 모형을 일반화해서 거의 동시에 펼쳤던 고전 양자론이었다. 그들이 제안했던 양자화 조건은, 전기장이나 자기장과 같이, 외부에서 가해지는 힘의 마당에서 전자 궤도가 특정한 방향들을 향해 개별적으로 띄엄띄엄 나뉘어 떨어져서 나타나는, "공간적인 정렬"이 존재한다는 것을 암시했다.

…그 당시 '공간 양자화'의 개념은 공간에서 특정 방향으로만 띄엄띄엄 떨어져 나타나는 궤도 각운동량과 자기장의 얽힘 현상으로서, 본래는 '방향 양자화'를 의미했다.

'공간 양자화' 개념은 자기장에서 원자들이 방출한 분광선들이 몇 가닥으로 분리되어 나타났던 "제이만 효과"를 설명하는 과정에서도 드러났었지만, 좀 더 복잡한 형태로 나타났던 "비정상 제이만 효과"를 밝히는 데는 실패했었다.

…외부 자기장에서 원자 자기 모멘트는, 고전 물리학에 따르면 "임

의 방향"으로 연속해서 이어지며 정렬되어 분자광선이 균일하게 퍼져 나간다고 예측되었지만, 고전 양자론에 따르면 "특정한 방향"으로 띄엄띄엄 떨어져서 '공간 양자화'를 이루며 정렬되어 분자광선이 특정한 수만큼 광선 가닥으로 나누어진다고 알려졌다.

그 당시 조머펠트의 학생이었던 97)볼프강 파울리에 이어서, 오토 슈테른도 보어 모형에서 비롯된 그리고 아무도 관측하지 못한 "공간 양자화에 함축된 물리 성질은 무엇인가?"라는 생각에 빠져 있었다. 슈테른은 보어 모형이 적용되는 수소 종류의 기체가 '겹꺾임(또는 복굴절)'의 자기 성질을 가져야 한다고 생각했다. 앙페르의 원형 전류에서처럼, 보어 모형에 따르면, 전자가 자기장에 수직인 궤도에서 시계 방향 또는 시계 반대 방향으로 선회할 때 2가지 방식을 따른다고 미루어 짐작되기 때문이었다. 슈테른은 당시에 있었던 일을 기억했다.

"세미나에서, 기체에서도 자기 '겹꺾임'이 일어나는지에 관한 질문이 이어졌다. 다음 날 아침 일찍 깨었지만 추운 날이어서 침대에서 일어나기 싫었고, 누워서 전날 세미나에서 관심을 끌었던 질문을 되돌아보고 있었는데, 문득 실험을 어떻게 준비해야 할지 착상이 떠올랐다."

보어 모형에 따라서 궤도 각운동량이 두 가지 값으로 투영되고, '플랑크 상수'를 반지름이 1인 원의 둘레로 나눈 양, 즉 '축소 플랑크 상수'의 음과 양인 두 가지 수로서 제한되기 때문에[하지만 보어는 0이 왜 포함되지 않는지를 알지 못했다], 공간 양자화도 오직 두 겹으로 투영돼 나타난다고 슈테른은 생각했다.

전자 궤도가 갖는 두 겹 특성은 곧 분자광선이 불균일 자기장에서 한쪽으로 휘어지는 편향의 성질을 사용하여 '공간 양자화'를 시험할 수 있다는 결정적인 단서를 제공했다.

분자광선의 속도 분포가 광범위하게 퍼져서 분명하게 차이를 드러내지는 않더라도, 매우 강력한 자기장 기울기(거리에 따라서 변하는 불균일 자기장)를 사용한다면, 두 겹의 궤도 각운동량 성분들은 분자광선의 굵기를 벗어나서 뚜렷이 구분돼 나타나야만 했다. 고전역학에 따르면, 원자 자석들은 자기장에 관해 "축돌기" 운동을 거듭하지만 임의 방향으로 정렬되고, 한쪽으로 휘어져 편향되더라도 작은 점들이 연속으로 퍼져있어서, 전체가 하나의 큰 점으로 뭉쳐져서 구분되지 않았다.
…슈테른은, 만약 성공한다면, 양자 이론과 고전 이론 사이에서 명확하게 판정을 내릴 실험을 자신이 계획하고 있다는 생각에 깊이 빠져 들었다.

슈테른은 따뜻한 침대에서 그의 생각을 정리한 후에 보른 교수에게 달려갔지만 그렇게 시원한 대답은 듣지 못했다. 보른은 그의 98)자서전에서 그 당시 일을 기록했다.
- 내가 공간 양자화에 대한 그의 계획을 심각하게 받아들이기까지는 꽤 오랜 시간이 걸렸다. 나는 공간 양자화를 우리가 아직 알지 못하는 일종의 상징적인 표현이라고 사실 생각했었다. 슈테른이 생각하던 것을 그대로 받아들이려고 했지만, 그것은 순전히 슈테른 혼자만의 생각이었기 때문에…… 나는 말도 안 된다고 설득도 해

보았지만, 그는 끝내 "그래도 해 볼 가치가 있습니다."라고 대답했다.

"양자가 그 모습을 우리 눈앞 공간에 드러낼까?" 벽 앞에 띄엄띄엄 찍힌 선들을 상상하며 슈테른은 공간 양자화에 대해 곰곰이 생각했다. 공간 양자화는 원자들이 그들의 존재를 실제로 눈에 띄게 공간에 표시해 줄 특별한 조짐이었다.

7.4 슈테른-게를라흐 실험

그동안 실험물리학자를 찾던 오토 슈테른은 발터 게를라흐에게 다가와서 느닷없이 말했다.

"발터, 공간 양자화가 무엇인지 알고 있어?"

"아니, 전혀 모르는데......."

"발터, 진작부터 알았어야지. 최근에 조머펠트와 디바이는 소위 공간 양자화라는 양자 이론이 제이만 효과를 효과적으로 설명한다고 주장하며 논문을 출판했고......."

슈테른은 설명을 계속했다.

"공간 양자화란, 은이나 소듐 원자의 자기 모멘트가 자기장에서 오직 두 개 공간(방향)으로 일정하게 나누어져 놓이는데, 그것은 임의로 원하는 장소가 아니라 매우 구체적으로 설정된 공간(방향)에 배치된다."

"사실은 두 가지뿐만 아니라, 자기장에 수직이거나 평행 또는 반평행으로 나타나기도 해서 세 개 공간(방향)에 배치되는 것도 가능하다."

그날 이후부터 두 물리학자는 매일 근처 "카페 루흘"에 앉아서 공간 양자화를 관측할 요량으로 실험 계획을 구체적으로 세우기 시작했다. 게를라흐는 계획하고 있던 비스무트 측정 장치를 조금만 변경하면 공간 양자화 실험이 가능하다고 생각해서, "오토, 나도 공간 양자화 실험에 참여하겠어......."라고 마침내 동의했다. 얼마 후, 슈테른은 게를라흐를 찾아와서 다시 말했다.

"발터, 문제가 생겼어! 지난번에 네게 보여주었던 계산은 잘못된 것이었다. 실험에 필요한 자기장 기울기가 10배나 적게 계산되었다."

슈테른은 1주 또는 2주마다 서너 차례씩 오가며, 계산 결과들을 보여주었고, 어느 날 와서는 말했다.

"발터, 마침내 계산을 끝냈어. 만약 1센티미터당 1만에서 5만 외르스테드씩 변하는 자기장 기울기를 네가 만들 수만 있다면 우리가 원하는 실험을 할 수 있을 거야...... 아마도 그런 실험 장치는 준비하기가 어렵겠지......."

[외르스테드는 '보조 자기장' 단위이고, 공기에서 '자기장' 크기와 거의 같아서 1외르스테드는 1가우스에 해당한다].

어두운 그의 표정을 읽으며 게를라흐는 대답했다.

"물론 할 수 있지. 거의 비슷한 실험을 준비해 왔으니까...... 비스무트 실험용으로 1센티미터당 1만 외르스테드의 자기장 기울기를 만드는 장치를 이미 준비해 놓은 상태야!"

슈테른은 기뻐서 말했다.

"그러면, 실험을 바로 시작해야겠다."

그들의 공동 연구는 작업 기술과 습관에서 상호 보완적인 성격을 서로 갖고 있어서 얼마간 매우 성공적이었다. 슈테른은 분자광선 경험을 쌓았고, 게를라흐는 강력한 불균일 자기장을 설계하는 전문성을 확보했다. 슈테른은 오후 6시에 퇴근해서 저녁도 먹고 영화관에 가서 즐기는 것을 좋아했던 반면에, 게를라흐는 밤에 일하는 것을 선호해서 거의 밤잠 없이 날을 지새우는 경우가 적지 않았다.

1921년 초, 슈테른과 게를라흐는 공간 양자화 개념을 시험하기 위해서 실험 설계와 준비를 모두 마친 상태였다. 하지만 실험을 수행하기 위해서는 기술적으로 넘어야 할 어려움이 산재해 있었다. 유리로 만든 진공관 안에 넣기 위해서, 분자광선 장치가 만년필 크기로 작아야 했고, 전기 자석 규모도 알맞게 조절되어야 했다. 장치에서 은銀을 녹여 분자광선을 만들어내는 광원은 섭씨 1,300도로 가열돼야 했고, 진공을 유지하는 수은 확산펌프와 검출기 판은 액체 공기로 차갑게 순환시켜야 했다. 분자광선을 검출하기까지, 광원과 두 개의 작은 실틈과 검출기 판이 정확하게 일렬로 맞추어져야 하는 어려움도 뒤따랐다. 슈테른과 게를라흐의 당시 실험 장치는 크게, 분자광선 광원(1), 첫 번째 원형 실틈(2), 두 번째 원형 실틈(3), 전기 자석 극판(4), 검출기 판(5)으로 구성되었다.

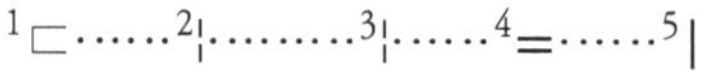

1⊏……2¦………3¦……4=……5|

—광원이 놓인 화덕 구멍의 지름은 1밀리미터, 첫 번째 실틈까지 거리는 2.5센티미터, 두 원형 실틈 사이 거리는 3센티미터, 분자광

선 지름은 0.05밀리미터, 자석 길이는 3.5센티미터, 자석 세기는 0.1테슬라, 자기장 기울기는 10테슬라/센티미터였고, 분자광선이 공간 양자화를 실제 공간에 투영할 거리 간격은 0.2밀리미터로 계산되었다.

—가장 어려운 작업은 분자광선의 경로를 정확하게 일렬로 맞추는 작업이었다. 분자광선이 전기 자석을 통과할 때 0.1밀리미터 정도 휘어지는 편향을 겪기 때문에, 광원에서 검출기 판까지 경로를 0.01밀리미터 이상 벗어나게 되면 실험이 불가능했다. 그리고 장치 안에서 압력은 10만 분의 1토르(약 1억 분의 1기압)보다 낮아야만 분자광선의 측정이 제대로 이루어졌다.

—은 원자가 불균일 자기장을 통과할 때 받는 자기 힘은 은 원자의 자기 모멘트와 자기장 기울기의 곱에 비례했다. 그리고 비례 상수는 아르놀트 조머펠트가 제안했던 자기 양자수와 궤도 양자수의 비율이었으며, 전자 궤도의 방향을 공간에 투영해서 나타내는 공간 양자화의 증표였다.

실험의 기술적인 어려움 외에도 난제가 따로 있었다. 전쟁 후 독일에 불어 닥친 재정 문제가 실험실에 영향을 미쳤기 때문이었다. 막스 보른은 강연회에서 입장료를 받아 슈테른과 게를라흐의 실험을 수개월 동안 도와주었지만 다른 수단을 찾아야만 했다. 그는 뉴욕으로 여행을 떠나는 친구에게 "농담 반 진담 반"으로 실험실 사정을 얘기했고, 심각하게 들은 친구는 몇 주 후에 엽서를 보내 왔다. 아버지가 프랑크푸르트 출신의 이민자였던 헨리 골드만의 주소를 알려 주면서 연락해 보라는 내용이었다.[99]

"처음에는 농담이었지만 심사숙고 끝에 그렇게 해 보기로 결심해서...... 멋지게 편지를 써서 보냈고, 곧 기분 좋은 답장이 수 백 달러의 수표와 함께 도착했다....... 골드만의 수표가 우리 실험을 살렸고, 그 일(슈테른-게를라흐 실험)은 결국 성공에 다가갔다."

그때 미국 통화로 1달러는 지금 13.5달러와 같았고, 1분기에는 독일 통화로 90마르크였지만, 6월에는 330마르크로 뛰어오르는 정도로 독일 사회는 인플레이션에 시달리고 있었다. 헨리 골드만은 현재 세계적인 투자은행을 거느리고 있는 「골드만삭스 그룹」의 창업자 마르쿠스 골드만의 아들이었다.

이번에는 다른 어려움이 찾아 왔다. 프랑크푸르트에서 만족스럽게 지내던 보른 교수는, 괴팅겐 대학교에서 이론물리학 정교수로 초빙되었지만, 이를 거절했다. 대신 프랑크푸르트 시장인 게오르크 보이트에게 다섯 가지 요구 조건을 제시했고, 그중 "오토 슈테른을 정규 교수로 임명해 달라"는 요청만 받아들여지지 않았다. 실험이 한창인 가운데, 보른 교수는 먼저 괴팅겐 대학교로, 슈테른은 1921년 10월 1일부터 로스토크 대학교 부교수(엑스트라오르디나리우스)로 자리를 옮겼다. 프랑크푸르트에서 게를라흐는 혼자서 실험을 도맡아야만 했다. 1921년 11월 5일 밤, 마침내 실험이 성공적으로 처음 이루어졌다.

0.05밀리미터 지름의 은 분자광선이 검출기 판에 "원형이 아닌" 타원형으로 펼쳐진 점點 한 개를 남겼다. 분해능이 낮아서 은 원자의 자기 모멘트는 알아내기가 어려웠다. 점의 퍼짐 정도와 모

양을 보고서야, 은 원자의 자기 모멘트가 1에서 2보어 마그네톤인 것으로 추측되었다.
…은 분자광선이 불균일 자기장에서 한쪽으로 휘어져, 위 아래로 분리된 간격보다 검출기 분해능이 더 높아야만 자기 모멘트의 측정이 가능했다.

흔적으로 나타난 공간 양자화는 분해능이 너무 낮아서 미확인 실험으로 결론이 내려졌지만, 실험 결과는, 1921년 11월 18일, 독일 논문집 〈물리학 잡지〉에 [100]제출되었다. [[101]보어 마그네톤은 원자에서 '전자 자기 모멘트'에 해당하는 기본 물리 상수이고, 전자 전하질량 비의 절반과 축소 플랑크 상수를 곱한 양이다. 1913년 보어 모형에서 원자의 각운동량과 자기 모멘트의 관계로부터 처음 나타났고, 1920년 볼프강 파울리가 그 이름을 사용하기 시작했다].

프랑크푸르트를 떠난 뒤 슈테른이 뒤처지지 않도록, 게를라흐는 수시로 로스토크를 방문하여 실험 결과를 그에게 보여 주었다. 1922년 2월 초 괴팅겐에서 열렸던 회의에서 두 물리학자는 따로 만나서 얘기했다. 그들은 실험 계획에 관해 서로 의논했고, 내린 결론은 "안 될 것 같다"였다.

그날 프랑크푸르트로 돌아오려던 게를라흐는 철도 파업으로 인해서 역 근처 괴팅겐 호텔에서 하루와 반나절 더 머물러야 했다. 머무르는 동안 실험 자료를 다시 자세히 들여다보았고, 궁리도 해보았다. 그리고 한 번 더 실험을 시도해 보기로 결심하며 프랑크푸르트로 돌아왔다.

…프랑크푸르트로 돌아온 게를라흐는 실험 장치에서 두 번째 '원형 실틈'을 0.8밀리미터 길이와 0.03밀리미터 폭의 '직사각형 실틈'으로 바꿨다.

이유는 조그마한 백금 실틈에서 나오는 광선의 산란이 문제였고, 분자광선의 양과 분해능을 높일 수 있다는 기대감에서 실틈의 형태를 바꾸는 조치를 취했다. 다른 실험과 마찬가지로 그들의 실험도 광선 세기가 약하다는 고민을 안고 있었다.

…작은 변화는 큰 차이를 만들었다.

실틈을 바꾼 것이 곧장 성공으로 이어졌다. 2월 7일에서 8일로 넘어가는 밤, 분자광선이 둘로 나누어져서 두 개의 성분이 관측되었다. 밤새 이 광경을 지켜본 근무자는 게를라흐뿐이었다!

실험이 얼마나 어렵고 고되었는지 게를라흐의 박사학위 학생인 빌헬름 슐츠의 [102]증언에서 생생히 드러난다.

- 섭씨 1,300도에서 은을 가열하여 증발시키는 화덕 장치의 열 때문에 밀봉 부분이 녹는 것을 방지하려고 실험 장치를 식히느라 드라이아이스와 아세톤 또는 액화 공기를 사용해야 했고, 1억 분의 1기압에서 진공을 서너 시간 동안 유지하느라 고통이 엄청나게 뒤따랐다. 그리고 납이 섞인 수은이 끓으면서 발생한 추진력 또는 응집된 수증기 방울로 인해 유리로 만든 진공 펌프가 자주 깨어졌다. 며칠 동안 진공을 만드느라 공들였던 노력이 한꺼번에 모두 사라지기도 했다. 진공을 만들고 화덕을 가열하는 일이 처음부터 다시 시작돼야 했다. 작업은 매우 어려웠고, 반복해서 이루어지는 노동

이었다. 책임은 전적으로 게를라흐 교수의 넓은 이해와 깊은 인내심에 의존했다.

- 게를라흐 교수는 주로 밤에 교대했는데, 밤 9시 쯤 책과 복사물을 한 무더기 들고 실험실에 나타나서, 밤새 실험 결과를 읽고 검토하고, 논문도 쓰고, 강의 준비도 했다. 코코아와 차도 마셨고 담배도 많이 피웠다. 나는 다음 날 아침 연구소에 도착해서 진공 펌프가 돌아가는 소리를 듣고 실험실에 앉아계신 게를라흐 교수를 발견하면 일단 안심이 되었다. 밤사이 아무런 고장이 없었다는 증거였다.

- 1922년 2월 8일 일찍 실험실에 도착했다. 찬란한 아침이었다. 추운 공기와 눈! 게를라흐 교수는 한창 불균일 자기장을 통과한 분자광선이 금속판 위에 얇은 은銀으로 된 층層을 8시간이나 쌓는 광경을 주의 깊게 살피는 중이었다. 기대에 가득 찬 눈으로, 우리는 차례대로 펼쳐지는 아름다운 모습을 지켜보았고, 몇 달 동안 정말 열심히 노력한 대가로 마침내 성공을 맛보게 되었다. 불균일 자기장에서 은銀 광선이 나누어져 나타나는 현상을 처음으로 목격했던 것이다. 내가 바르게 기억한다면, 슈미트 선생님이 계셨고, 에르빈 마델룽(1881-1972) 교수도 그 옆에서 지켜보셨고, 나누어져 분리된 광선이 금속판에 내려앉아 쌓인 은銀 흔적이 「광물학 연구소」의 현미경 사진에 기록되었다.

- 그 다음, 내가 할 임무는 로스토크에 계신 "슈테른 교수님"에게 "보어가 결국 옳았어요!"라고 전보를 보내는 일이었다.

슐츠가 실제로 목격했던 공간 양자화의 모습은 분리된 은銀 광선이 "입술 자국을 흰 종이에 은銀 빛으로 찍어놓은 듯한 자태"를 보여 주고 있었다.

슐츠가 "찬란한 아침"이라고 묘사했던 기상 조건은 우리에게 공간 양자화가 증명된 "운명의 밤"을 명확히 기억하게 해주었다. 1922년 2월 7일 밤부터 8일 새벽까지 기상청의 기록과 정확하게 일치했다. 슈테른에게 보낸 전보는 아마도 잃어버렸는지 기록물로서 남아있지 않았다. 2월 8일 보어에게 보낸 [103]엽서에는, 뒷면 오른쪽 아래에 은 광선이 둘로 분리된 모습으로 구분되어 나타나 있었다.

게를라흐는 "보어의 양자론을 확인했다"라는 소식을 엽서에 적어서 보어에게 보냈다.

-존경하는 보어 교수님에게, 저희가 하는 일을 참조하시도록 1921년에 제출했던 논문집 이름과 권 호의 출처번호를 첨부했습니다. 그리고 실험에서 입증된 '공간 양자화'의 사진을 자기장이 없을 때와 있을 때, 따로 구분해서 붙였습니다. 우리는 교수님의 이론을 확인했습니다. 축하드립니다.

정중하게 인사드리며, 발터 게를라흐(프랑크푸르트, 2월 8일 1922년).

1922년 3월 1일, 발터 게를라흐와 오토 슈테른은 『자기장에서 공간 양자화에 대한 실험적 증명』이라는 제목으로 독일 논문집 〈물리학 잡지〉에 "기념비적인" [104]논문을 제출했다. 논문의 본문

내용에는

자기장에서 공간 양자화가
사실로 입증되었다.

라고 강조되어서 널찍하게 “공간 양자화가 입증되었다”의 문장이 인쇄되어 있었다.

논문에는 보어에게 보낸 엽서의 그림과 같은 모양으로 분자광선의 무늬가 사진으로 나타나 있었다. 자기장이 없을 때는 분자광선이 분리되지 않아 일직선을 그렸고, 불균일 자기장에서는 마치 “입술 모양”으로 분자광선이 두 선으로 분리되어 나타났다.

—실험에서 사용된 자석의 길이는 3.5센티미터, 자기장 세기는 0.1 테슬라, 자기장 기울기는 1센티미터당 10테슬라였다.

—입술 모양의 선은 길이가 1.1밀리미터였고, 위와 아래가 0.22밀리미터 간격으로 분리되어 나타났다. 분리된 두 선 사이 간격은 분자광선에 자기 힘이 작용해서 휘어진 높이의 두 배이기 때문에, 원자 가속도와 자석을 통과하는 데 걸린 시간의 제곱을 곱해서 계산되었다. 원자 가속도는 자기 힘을 질량으로 나누었고, 자기 힘은 자기 모멘트와 자기장 기울기의 곱이었으며, 통과 시간은 자석 길이를 분자 속도로 나누었다.

—결과적으로, 은 원자의 자기 모멘트는 분자광선이 만든 선 간격(0.22밀리미터)과 은 원자 질량(108 원자 질량 단위)과 분자 속도(약 초당 550미터)의 제곱을 곱한 다음에 자기장 기울기(10테슬라

/센티미터)와 자석 길이(3.5센티미터)의 제곱으로 나누어서 계산되었다.
—슈테른과 게를라흐의 예상처럼, 관측된 은 원자의 자기 모멘트는 거의 1보어 마그네톤이었다. [1보어 마그네톤은 원자에서 전자의 자기 모멘트에 해당하는 크기이다].

실험을 성공적으로 이끌었던 중요한 요소는 결과적으로 원 모양의 실틈 대신 길이가 0.8밀리미터이고 폭이 0.03밀리미터인 직사각형 모양의 백금 실틈을 사용했다는 점이었다. 사각 실틈의 긴 쪽이 자기장에 수직으로 놓여서, 분자광선의 일부가 자석 한쪽의 날카로운 끝 부분(자기장이 가장 큰 부분) 아래를 직접 지나가도록 설계되어 공간 분리가 가능했다.

슈테른-게를라흐 실험은 공간 양자화가 수학에서 만들어진 인위적이고 가공의 결과가 아니라 물리학 실험에서 실제로 확인된, 자연에 존재하는 현상이라는 사실을 명확하게 증명했다.
…실험자가 임의로 선택한 자기장의 방향을 원자가 알아채고 미리 정해진 방식으로 띄엄띄엄 정렬된다는 새로운 발견은, 과학자들을 특별히 곤혹스럽게 만든 부분이었다.

오늘날에는 밝혀진 사실이지만, 슈테른-게를라흐 실험에서 자기장은 공간 양자화에 대한 "기준 좌표"이고 고전 물리학에는 존재하지 않는 자기 모멘트와 자기장[방향]의 "얽힘"을 미리 규정하고 있었다.

슈테른-게를라흐 실험은 유럽과 미국에서 커다란 반응을 불러 일으켰다[105].

—아르놀트 조머펠트: 매우 독창적인 실험이다. 장치와 방법을 통해서 슈테른과 게를라흐는 자기장에서 일어난 원자의 공간 양자화를 눈으로 직접 목격했고, 전자의 양자 기원과 원자 구조와의 관련성을 증명했다.

—알베르트 아인슈타인: 슈테른-게를라흐 실험은 이 시대에서 이루어진 가장 흥미로운 성과이다. 충돌이나 복사 에너지의 교환 없이도 원자들이 정렬한다는 사실은 기존 이론으로 설명될 수가 없다. 파울 에렌페스트와 함께 잠깐 계산해 보았지만, 그런 방식으로 원자들이 정렬하기까지 100년 이상 걸릴 것이다. 하인리히 루벤스에 의하면 그들의 실험 결과는 절대적으로 믿을 만하다.

—닐스 보어: 원자들이 자기장에, 수직 방향이 아니고(나중에 누군가가 이론적으로 설명해 주겠지만), 평행 또는 반反평행 방향으로 정렬된다는 실험 결과를 알려주어서 게를라흐와 슈테른에게 깊은 감사를 드립니다.

—볼프강 파울리: 성공적인 실험을 진심으로 축하합니다. 그 실험이 비非양자론자인 슈테른을 이제 양자론자로 전환시킬 수 있기 바랍니다.

—제임스 프랑크: 더욱 중요한 것은 이 실험이 공간 양자화의 존재를 증명하는지에 관한 것이다. 실제로 무슨 일이 일어나고 있는지 몇 마디 설명을 추가해 주십시오.

—프리드리히 파셴: 슈테른과 게를라흐 실험은 보어의 '안정[꾸준] 상태'의 사실을 처음으로 증명했다.

—이지도어 라비: 1923년에 대학원 공부를 처음 시작한 대학원 학생으로서, 원자 현상을 역학계에 적용하는 창의적인 길을 찾기를 희망했습니다....... 그러한 제 희망은 슈테른-게를라흐 실험을 읽었을 때 사라져 버렸습니다....... 양자론이 암시된 그들의 결과는 놀라웠습니다....... 이제 그 정교했던 고전 물리학은 가고, 양자 현상이 완전히 새로운 방향에서 요구된다는 사실을 우리는 직접 마주하게 되었습니다.

슈테른-게를라흐 실험이 공간 양자화의 존재를 보여주었지만, 아인슈타인과 에렌페스트는 여태까지 알려진 물리적 상호작용의 그 어느 것도 원자의 정렬을 설명할 수 없다고 [106]주장했다. 이러한 문제는 그 이후에도 얼마 동안 여전히 풀리지 않은 수수께끼로 남았다. 미국 물리학자 줄리언 슈윙거(1918-1994)는 그의 양자역학 책에서 공간 양자화를 [107]언급했다.

-화덕에서 나오는 원자들은 이미 자석의 자기장 방향을 감지하고 그것을 따라서 정렬된 것처럼 보인다. 물론, 여러분이 그렇게 믿는다면, 내가 할 수 있는 일은 아무것도 없다. 아니, 우리는 그 결과를 돌이킬 수 없는 삶의 현실로 받아들이고 그것을 감수하는 법을 배워야 한다!

리처드 파인만 교수는 『파인만 물리학 강의 제2권』에서 공간 양자화의 신비스러움을 [108]얘기했다.

-자기 모멘트는 자기장 방향을 향해서 특정한 성분만 허용된다는 사실을 어떻게 알았을까? 단지 이것은 각운동량 양자화의 발견을

알리는 시작이었다. 우리는 실험이 끝났을 때 이론적인 설명 대신 결과에만 너무 집착한다고 얘기할 따름이다.

그 당시에 정작 당황스러웠던 문제의 핵심은 슈테른-게를라흐 실험에서 관측된 분자광선의 무늬가 둘로 분리된 양상을 보이는 데 있었다. 그러나 실험 결과 자체는 보어 모형을 확인한 것으로 보였기 때문에, 보어 쪽에서는

"합당하다."

라고 반응했고, 조머펠트와 디바이 쪽에서는

"잘못되었다."

라고 판정했다.

조머펠트 이론에 따르면, 109)바닥상태에서 전자 궤도의 각운동량을 나타내는 두 번째 궤도 양자수는 1이 가능해서 세 번째 자기 양자수가 1, 0, -1이었지만, 궤도에서 전자가 시계와 시계 반대 방향으로만 회전이 가능해서 자기 양자수도 1과 -1만 허용된다고 보어는 주장했다. 슈테른-게를라흐 실험에서 관측된 은 분자광선의 무늬는 '두 겹'으로 분리되어서 보어의 설명과 일치했지만, 한편 궤도 각운동량이 공간에 투영돼서 나타난 공간 양자화는 궤도 양자수 1에 대해서 셋으로 분리된 '세 겹 상태'로 보여야만 했다. [고전 양자론에서, 궤도 양자수는 주양자수와 같거나 적었지만 0을 포함하지 않았다. 현대 물리학에서, 궤도 양자수는 주양자수보다 적고, 0을 포함한다].

3년이 지난 다음에야 구체적으로 이유가 밝혀지지만, 슈테른-게를라흐 실험의 두 겹으로 분리된 무늬에 대해서 '전자 궤도'가

아닌 다른 이유를 지적하는 이론물리학자가 따로 있었다. 프랑크푸르트에서 하빌리타치온을 마치고 막스 보른의 「이론물리학 연구소」에서 슈테른과 함께 연구했던 알프레트 랑데가 조용히 답을 찾고 있었다.

08 스핀을 보다

“소위 무차원 수라고 부르는 일부의 수들은 어떤 측정 단위를 선택하더라도 언제나 동일한 수의 값을 유지한다. 이들 중 이름이 가장 널리 알려진 수는 아마도 ‘미세구조 상수’일 것이다. 물리학자들은 이 상수를 무차원이어서가 아니라 자연의 세 가지 기본 상수인 전자 전하, 플랑크 상수, 빛 속도의 조합이어서 더욱 더 사랑한다.”
-존 아치볼드 휠러 (미국 물리학자, [110]『지온, 블랙 홀, 그리고 양자 거품』, 1998년).

20세기 물리학에 가장 크게 영향을 미친 19세기 물리학자 제임스 클러크 맥스웰은, 마이클 패러데이가 “빛과 자기장의 관계”를 끝내 알아내려고 애썼던 노력을 [111]논문에서 적었다.
-마이클 패러데이는 투명한 물체에 전기와 자기 힘이 작용할 때 그 상태를 조사하는 수단으로, 한 특정한 방향으로 진동하는 편광빛의 사용을 오랫동안 염두에 두고 있었다. 1822년 9월 10일, 패러데이는 일기에 그 내용을 [112]기록했다.
“램프 빛이 반사하여 편광 되었고, 볼타 전지의 양 극 사이에서 유리통에 담긴 물이 편광을 없애는 작용을 하는지 시험되었다. 울러스턴 물통과, 분해 유체로서 순수한 물, 약한 황산소다 용액, 황산이 각각 편광 시험에 사용되었다. 편광에 미치는 효과가 볼타 전지의 회로 안과 밖에서 각각 관찰되었지만, 물질들 사이에서 차이점은 발견되지 않았다.”

- 11년이 지난 다음, 1833년 5월 2일, 패러데이는 정상 전류뿐만 아니라 전극 효과도 조사했다.
“분해 용액이나 물질이 편광 빛에 아무런 영향을 미치지 않는 것으로 보인다. 고체 질산칼륨, 질산 은, 붕사, 유리와 같이 분해되지 않는 물질들에서 내부 상태가 분해되어 손상이 생기는지, 만약 그렇지 않다면 전기적으로 불안정한 상태로만 남는지 확인돼야 한다.”
- 1833년 5월 6일, 그는 추가된 실험에서 결론을 맺었다.
“나는 물체가 분해 물질이든 아니든 또는 절연체이든 도체이든 상관없이, 편광 빛이 만드는 구조 변화 또는 전기적 불안정을 더 이상 기대하지 않는다."
- 패러데이 일기 내용과 비슷한 실험을 최근(1875년) 글래스고 대학교 커 박사가 [113]시도했다. 그는 전기 힘이 빛의 진행 방향에 수직이고 편광면에 대해 45도 기울어져 작용할 때, 편광 빛이 반응하는 뚜렷한 증거를 확인했다.
- 1845년 8월 30일, 패러데이는 전해질을 통과하는 편광 빛의 실험을 다시 시작했다. 사흘이 지난 후, 그동안 사용해 온 전기 회로, 일반 유리, 광학용 유리, 석영, 아이슬란드 방해석에서, 그는 아무런 효과도 발견하지 못했다. 9월 13일, 자기력선을 사용해서 공기, 부싯돌, 유리, 암석 결정, 석회질 방해석을 조사했지만 역시 아무런 차이를 찾아내지 못했다.
- 1845년 9월 13일, 패러데이는 투명한 중重유리를 빛이 통과할 때 빛 편광면이 자기장 작용 하에서 회전하는 모습을 최초로 관측

했다.

“자기 힘과 빛이 서로 관련돼 있다는 것을 증명했다. 이 사실은 중요한 결과였고, 자연 힘을 조사하는 일에 매우 높은 가치를 부여할 것이다.”

- 1862년, 패러데이는 자기磁氣와 빛의 관계를 그의 마지막 실험 주제로 삼았다. 빛이 강력한 자석과 작용할 때 분광선 변화를 관찰했고, 그 변화의 실체를 알아내려고 온갖 노력을 기울였다. 그렇지만 특별한 성과 없이 끝이 났다.

- 40년 동안 진행된 자기-광학 연구는 패러데이가 보였던 노력의 한 예이다.

8.1 제이만 효과

1896년 가을 네덜란드 물리학자 피터르 제이만(1865-1943)은 광원이 자기장에 놓일 때, 분광선이 눈에 띄게 변형된다는 사실을 처음 발견했다. 그는 레이던 대학교에서 카메를링 오너스와 헨드릭 로런츠 교수 지도하에 『철, 코발트, 니켈에서 극반사에 관한 커-효과 측정: 114)시싱 자기-광학 위상 차이』의 논문으로 1893년 1월 18일에 박사학위를 받았다. ‘커-효과’는 물질에서 전기장에 반응하여 빛이 굴절 또는 꺾여서 나타나는 ‘꺾임률(또는 굴절률)’ 변화 현상으로서, 1875년에 스코틀랜드 물리학자 존 커(1824-1907)가 찾아냈다.

커-효과를 확인한 제이만은, 붉게 타오르는 불꽃이 자석[자기장]과 작용하여 어떤 변화를 일으킬까, 라는 생각을 떠올렸다.

1897년 2월에 출판된 『물질에서 방출된 빛의 속성에 관한 자기 효과』의 115)논문에서, 역사상 가장 위대한 실험물리학자와 화학자 패러데이가 시도했던 실험인 만큼 비록 그는 실패했지만, 연구할 가치가 충분하다고 판단하여 '자기-광학' 실험에 도전하게 되었다, 라고 제이만은 첫 문장을 시작했다. [자기-광학은 자기장의 존재 하에서 변화된 매질을 전자기파가 통과하며 겪는 현상이다. 즉, 빛과 자기 물질 사이에서 일어나는 물리적 상호작용이다].

—몇 해 전, 커-효과의 측정에서, 불꽃의 빛이 자기磁氣 작용의 원인으로 어쩌면 변화할지도 모른다는 생각이 들었다. 룸코르프 전자석 양 극 사이에 놓인 소듐 불꽃으로부터 방출된 분광선을 주의 깊게 살펴보았다. 그러나 결과는 부정적으로 나타났다.

—2년 전에, 제임스 맥스웰의 논문에서 인용된 마이클 패러데이의 1862년 실험에 대해 내가 관심을 기울이지 않았더라면, 그의 실험을 또다시 시도해 보는 일은 없었을 것이다.

—패러데이와 같이 위대한 과학자가 성공하지 못한 어려운 실험이지만, 현재 발전된 분광 장치를 사용한다면, 자기-광학 실험은 아마도 다시 도전해 볼 가치가 있을 것이다. [제이만은 훨씬 더 강한 전기자석과 분해능이 높은 분광 장치를 사용했다].

룸코르프 전기자석 양兩 극 사이에 '116)분젠 소듐 불꽃'이 놓였을 때, 처음에는 자석 없이 좁고 뚜렷하게 보이던 노란색 소듐 '두 겹선'이 넓게 펴져서 흐릿하게 '선 넓혀짐'으로 나타났다.

—룸코르프 전기자석에 27에서 35 암페어 전류가 공급되었고,

2.54센티미터당 14,938선들로 구성된 곡률 반지름 3미터의 '롤런드 에돌이발(또는 회절격자)' 장치에서 분광선이 분석되었다.
—전류가 공급되면서 소듐 두 겹선들이 전보다 눈에 띄게 넓어졌다. 이어서 전류가 차단되면 두 겹선들은 원래 모습으로 되돌아갔다. '선 넓혀짐'의 나타남과 사라짐은 전류의 공급과 차단과 함께 즉시 일어났다.
—리튬 탄산염의 빨간 불꽃도 소듐과 비슷한 현상을 보였다.
—소듐 두 겹선의 '선 넓혀짐'은 두 겹선 간격의 1/40이었고, 이때 자기장 세기는 1만 가우스(1테슬라)였다.

제이만의 발견은 거슬러 올라가서, 1896년 9월 2일 그의 실험공책에 기록되었다.[117)]
- '불빛'에 미치는 자기장의 영향...... 자석 양 끝 사이에 소듐 불꽃이 놓일 때, 좁고 윤곽이 뚜렷했던 노란색 분광선들은 두 배에서 세 배까지 점점 더 넓어진다.......

피터르 제이만이 소듐 두 겹선의 '선 넓혀짐'을 발견했고, 헨드릭 로런츠는 선 넓혀짐이 실제로는 원자에서 전자들의 운동 변화를 자기장이 유도하여 생긴 결과라고 설명했다. 원자에서 전자들이 자기장 없이 주기적인 진동을 보이다가, 자기장에서는 도움을 받아 더 빠르거나 또는 방해로 인해 더 느리게 움직여서, 분광선 진동수가 라모 진동수만큼 증가하거나 또는 감소했다. [라모 진동수는 자기장 세기에 비례한다. 실제로는 자기회전 비율과 자기장 세기를 곱하고 반지름이 1인 원 둘레로 나누어서 계산된다].

만약 전자 운동이 자기장과 평행한 방향에서 보인다면 오른쪽 또는 왼쪽의 원 편광 빛이 방출되어 두 겹선이, 그리고 자기장과 수직인 방향에서 보인다면 자기장이 없는 성분까지 포함하여 세 겹선이 계산되었다. 마치 여러 갈래로 날이 튀어나온 쇠스랑의 모양이어서, 일자형의 쇠스랑 손잡이가 자기장이 없을 때 모습이었다면 갈퀴형의 쇠스랑은 자기장에서 분할돼 나타난 분광선의 흔적이었다.

제이만 효과가 발견될 당시, 네덜란드 물리학의 명성은 대단히 높았다. [118]1900년 통계 자료에 따르면, 대학교 물리학과 총 교수와 조수 수는 네덜란드가 18명이었고(레이던 대학교 7명, 암스테르담 대학교 5명, 위트레흐트 대학교 4명, 흐로닝언 대학교 2명), 독일이 약 100명이었다. 인구 1백만 명당 물리학과 교수와 조수 수는 네덜란드가 4.1명, 독일이 2.9명, 스위스가 8.1명이었다. 유럽 평균은 거의 독일과 같았다.

피터르 제이만과 헨드릭 로런츠는 1902년에 『제이만 효과의 발견과 이론』으로 함께 노벨 물리학상을 받는다.

1898년, 아일랜드 물리학자 토마스 프레스톤(1860-1900)은 『강한 자기장에서 복사 현상』의 [119][120][121]논문에서 카드뮴, 아연, 주석, 마그네슘으로부터 관측된 제이만 효과를 설명했다. 카드뮴, 아연, 주석, 마그네슘으로부터 "전에는 분해되지 않았던" 분광선들이, 2테슬라의 자석과 2.54센티미터당 14,438선들로 구성되고 곡률 반지름이 6.45미터인 고분해능 장치가 사용되어서, 훨씬 더 뚜렷하고 세분화되어 나타났다.

카드뮴과 아연과 마그네슘의 467.8과 468.0과 516.8 나노미터 분광선들은 3개로 분할되어 각각 '세 겹선'으로 표시되었지만 가운데 분광선이 유별나게 뚜렷이 나타났고, 어떤 것은 가운데 약한 2개와 바깥 강한 2개가 더해져서 '네 겹선', 가운데 2개가 완전히 사라지고 바깥 2개만 남아서 '두 겹선', 아예 6개 또는 3개가 제각기 짝을 지으며 '여섯 겹선'으로 나타났다. 제이만이 소듐으로부터 관측했던 두 겹선의 선 넓혀짐 경우에도, 첫 번째 선(589.6나노미터)이 4개, 두 번째 선(589.0나노미터)이 6개로 각각 갈라져서 나타났다.

…원자들이 자기장에 놓여서, 로런츠 이론대로, 한 개였던 에너지 상태가 여럿으로 나누어져, 라모 진동수만큼씩 일정한 간격을 두고 띄엄띄엄 떨어져서 나타난 분광선 분할은 "정상 제이만 효과"라고 불렸고, 더 복잡한 형태로서 "비정상 제이만 효과"와 구별되었다.

그뿐만 아니었다. 프리드리히 파셴과 에른스트 바크는 자기장이 더 커지면서 오히려 비정상 제이만 효과가 정상 제이만 효과로 되돌아오는 현상을 목격했고, 1912년에 발표된 『정상과 비정상 제이만 효과』의 [122]논문에서 그 용어들을 처음으로 사용했다.

나중에 밝혀진 사실이었지만, 세 겹선의 카드뮴 분광선은 주양자수가 5이고 [123]궤도 양자수가 2인 상태에서 주양자수가 5이고 [124]궤도 양자수가 1인 상태로 전자가 자리를 이동하며 복사선을 방출하여 나타난 결과였다. 자기장 없이 포개져 나타난 '겹침' 상태가 자기장에서 해제되면서, 결국 자기 양자수가 +2, +1, 0, -1,

-2의 '안 겹침' 상태에서 +1, 0, -1의 '안 겹침' 상태로 전자 전이가 일어나며 분광선은 3개로 나누어져 나타났다.
…정상 제이만 효과에서 분할된 선 간격은 자기장 세기에 비례하여 1테슬라당 1십만 분의 5.788전자볼트였고, 카드뮴 467.8나노미터 분광선에 대해 파장으로 환산하면 1테슬라당 0.0102나노미터였다.

자기장에 놓인 원자들로부터 방출된 에너지가 공간에서 띄엄띄엄 분리되어, 정상 제이만 효과는 공간 양자화의 개념 없이 고전 물리학에 기초한 로런츠 전자 이론으로도 그 해석이 충분했다. 그러나 비정상 제이만 효과는 사정이 전혀 달랐다. 분광선이 2개, 4개, 6개,...... 등으로 복잡하게 나누어지고, 거의 0에 가까운 외부 자기장에서도 두 겹 또는 세 겹 상태를 보이는 비정상 제이만 효과는 그 당시 원자 물리학자들을 무척 당혹스럽게 만들었다.

사실, 소듐에서 두 겹선의 경우도 주양자수가 3이고 [125]궤도 양자수가 2(현대 궤도 양자수로는 1)인 상태에서 주양자수가 3이고 궤도 양자수가 1(현대 궤도 양자수로는 0)인 상태로 전자 전이가 일어나서 생긴 분광선들이어서, 당시에 알려진 세 가지 양자수(주양자수, 궤도 양자수, 자기 양자수)로는 두 겹선의 차이를 설명할 마땅한 방법이 없었다.

'비정상 제이만 효과'는, 정상 제이만 효과와 달리, 자기장과 전자 궤도 각운동량의 상호작용만 갖고는 설명이 불가능했다.

1920년에 『보어 모형에 기초를 둔 분광선 이론』을 주제로 열린 베를린 강연회에서 아르놀트 조머펠트는 "아직도 해결하지 못한 원자물리학의 가장 커다란 두 가지 의문" 중 하나로서 비정상 제이만 효과를 언급했다. 다른 하나는 화학자들에게 관심이 컸던 "원자에 대한 다각형 모형"이었다.[126]

그 당시 물리학자들은 비정상 제이만 효과에서 '여러 겹(두 겹, 세 겹, 네 겹......) 상태'의 구조뿐만 아니라 파장 측정값들에서도 "숫자에 숨어있는 규칙성"을 찾느라 몰두하고 있었다. 아르놀트 조머펠트는 [127]"숫자 비밀"이라고 불렀고, 볼프강 파울리는 [128]"큰 비밀"이라며, 분광선에서 자기磁氣 분할에 얽힌 당시 어려움을 토로했다. 그들은 비정상적인 자기 분할 효과가 원자 구조의 가장 깊은 비밀을 감추고 있다고 굳게 믿었고, 그 비밀을 비정상 제이만 효과에서 찾고 있었다.

정상 제이만 효과에서처럼, 한 개로 겹쳐 포개졌던 분광선이 자기장에서 해제되어 분할된 여러 겹 상태들 가운데서도, 짝수의 두 겹, 네 겹, 여섯 겹,...... 상태들의 해석에는 그동안 사용되어온 주양자수, 궤도 양자수, 자기 양자수가 그렇게 효과적이지 않았다. 숨어있는 비밀을 찾기 위해서는 또 다른 양자수가 필요해 보였다. 조머펠트는 원자 내부에 역학적으로 "숨겨진 회전"과 관련하여, '내부 양자수'를 추가했다.

…내부 양자수는 전자 궤도가 여러 겹 상태들로 분할되어, 주主양자수로 표시된 주主에너지 층이 여러 부副에너지 층들로 나누어지도록 설계되었다.

내부 양자수는 궤도 양자수['현대' 궤도 양자수보다 1이 더 큰]와 비교해서 같으면 홑겹 상태, 같거나 1이 적으면 두 겹 상태, 같거나 1 또는 2가 적으면 세 겹 상태를 만들었다. 예를 들면, 궤도 양자수가 2인 두 겹 상태(세 겹 상태)이면 내부 양자수는 1과 2(0과 1과 2)였다. 기하학이나 물리학 의미는 부족했지만 두 겹과 세 겹 상태를 설명하기 위해서 내부 양자수는 매우 유용했다.

조머펠트가 내부 양자수를 제안한 뒤, 프랑크푸르트에서 막스 보른의 조수인 알프레트 랑데(1888-1975)는 비정상 제이만 효과에 나타난 '숫자 비밀'을 푸는 일에 한 발 더 다가갔다. 그는 원자에서 궤도 안쪽을 가득 채운 닫힌 궤도의 전자들에 관한, "원자 속" 각운동량이 0이 되지 않도록, '원자 속' 양자수를 별도로 표시하여 내부 양자수에 물리적인 의미를 부여했다.

궤도 바깥에 있는 전자들(원자가價)의 궤도 각운동량은 궤도 양자수로, '원자 속' 각운동량은 '원자 속' 양자수로 나타냈으며, 두 양자수를 벡터 덧셈 방식으로 더해서 총 각운동량은 조머펠트의 내부 양자수와 관련지어 표시되었다. 조머펠트가 "내부 양자수는 원자 내부에 숨겨진 회전과 관련되었다."라고 언급했던 대로, 랑데가 부여한 전자의 '원자 속' 각운동량은 "가상적인, 전자의 숨겨진 회전"에 바싹 다가가고 있었다.

…총 각운동량은 궤도 각운동량과 원자 속 각운동량의 벡터 합이었고, 총 각운동량에 관련된 총양자수는 조머펠트의 내부 양자수에 해당했다.

1921년 4월과 10월에 알프레트 랑데는 『비정상 제이만 효과』의 논문을 [129]제1부와 [130]제2부로 나누어 독일 논문집 〈물리학 잡지〉에 제출했다. 그는 소듐 원자들에서 관측했던 비정상 제이만 효과를 설명하기 위해, 조머펠트의 내부 양자수를 원자의 총 각운동량 양자수로 동일시했고, 자기장에 투영해서 공간 양자화를 나타낸 자기 양자수도 새로이 채택했다.

랑데는 자기장에 평행 또는 수직으로 비쳐서, 편광돼 나타난 분광선들에 '선택 규칙'을 적용했고, 자기장 없이 나타난 분광선을 중심으로 양쪽에 자기 양자수에 해당하는 선들이 대칭해서 나타난다고 가정했다.

…복사선을 방출한 전자 전이는 두 양자 상태에서 궤도 양자수가 1만큼 달랐고, 자기 양자수가 같거나 또는 1만큼 변할 때만 허용되는 '선택 규칙'을 따랐다.

"라모 정리"에 따르면 자기장에서 진행된 운동은, 자기장 없이 진행된 운동에, 자기장을 중심축으로 채택된 라모 진동수의 회전운동이 더해져서 나타났다. 마찬가지로, 원자에서 전자들에 자기장이 작용하여 형성된 제이만 에너지는 자기장 없이 이루어진 분광선 에너지에 더해져서 나타났다.

…'제이만 에너지'는 플랑크 상수와 '[131]라모 진동수'를 곱한 양에, 랑데 지-수와 자기 양자수를 곱해서 계산되었다. 즉, 제이만 에너지를 플랑크 상수와 라모 진동수의 곱으로 나눈 양이 랑데 지-수와 자기 양자수의 곱이었다.

랑데는 실험 자료를 바탕으로 원자 자기磁氣 모멘트와 각운동량에 관련된 '랑데 지-인자因子', 이 책에서는 "지-수"라고 부르는 물리 공식을 만들었다. 처음 사용했던 두 겹 상태 지-수는 내부 양자수의 2배를 궤도 양자수의 2배에서 1을 뺀 값으로 나눈, '경험 규칙'으로부터 계산되었다. [지-수는 자기 모멘트와 각운동량의 비율인 자기회전 비율을 항상 일정하게 표시해주는 '차원이 없는 수'이다].

589.0과 589.6 나노미터의 파장에서 각각 6개와 4개씩 새로 분할돼 나타난 소듐 분광선들에 대해 지-수와 자기 양자수가 계산되었다. 1) 궤도 양자수가 2이고 내부 양자수가 2일 때 지-수는 4/3이고 자기 양자수가 ±3/2과 ±1/2이었고, 2) 궤도 양자수가 2이고 내부 양자수가 1일 때 지-수는 2/3이고 자기 양자수가 ±1/2이었으며, 3) 궤도 양자수가 1이고 내부 양자수가 1일 때 지-수는 2이고 자기 양자수가 ±1/2이었다.

랑데는 자기 양자수가 ±1/2 또는 ±3/2과 같이, 정수가 아닌 유리분수의 모습으로 나타난 "사실"을 논문에서 적었다.
—자기장에서 나타난 통상적인 공간 양자화는 자기 양자수를 오직 정수 값만 허용하지만, '유리분수'도 가능하며 이웃하는 두 수의 차이는 여전히 ±1이라는 점을 알아야 한다.
—자기 양자수로 나타난 유리분수는 ±1/2, ±3/2, ±5/2,......, ±(내부 양자수-1/2)의 순서로 이어져서 다중도(자기 양자수의 총 개수)가 '짝수'로 나타나는 반면에, 정수는 ±0, ±1, ±2,......, ±내부 양자수의 순서로 이어져서 다중도가 '홀수'로 나타난다. [다중도는 홑 겹 상태가 1, 두 겹 상태가 2, 세 겹 상태가 3,...... 등으

로 나타난다].

랑데는 홑겹 상태와 두 겹 상태를 일반화했지만, 분수로 나타난 랑데 지-수와 반半정수로 표시된 자기 양자수에 대해서는 더 이상 이론으로 풀어서 설득할 방법을 찾을 수가 없었다.

랑데 방식에 비판적이던 조머펠트는 크게 관심을 내보였다. 그의 학생이었던 랑데에게 보낸 132)편지에서도 그 모습이 잘 드러난다.

- 매우 잘했다! 네가 마술사처럼 해냈어. 네가 구성한 '두 겹' 상태의 구조는 무척 아름답다.

133)랑데 지-수의 작업이 한창 진행되던 1921년 10월과 12월 사이, 또 다른 조머펠트의 뮌헨 대학교 박사과정 학생, 그 당시 스무 살의 베르너 하이젠베르크(1901-1976)가 랑데와 16통의 편지를 주고받으며 134)'원자 속(럼프)' 모형을 논의하고 있었다. 관측된 두 겹과 세 겹 상태의 분광선 분할이 각각 한 개와 두 개의 바깥(원자가價) 전자로 이루어진 원자들과 관련이 있어 보였기 때문에, 불활성 기체의 '원자 속', 즉 닫힌 궤도의 주변에 한 개 또는 두 개의 바깥 전자가 배치된 '원자 속' 원자모형이 고려되었던 것이다. 135)[독일어 "럼프"는 닫힌 궤도의 전자들을 의미한다].

하이젠베르크는, 두 겹 상태의 경우, 궤도 각운동량 기본 단위(축소 플랑크 상수)의 절반(1/2)을 '원자 속'과 '바깥(원자가)' 전자가 공유한다고 가정함으로써 '반정수에 대한 양자역학'의 시작을 세상에 알렸다. '바깥(원자가)' 전자의 각운동량은 궤도 양자수에서 절반(1/2)을 뺀 수와 축소 플랑크 상수를 곱한 양으로 주어졌고, '원자 속' 각운동량은 절반(1/2)과 축소 플랑크 상수를 곱한 양을 별도로 얻게 되었다.

'바깥' 전자와 '원자 속'의 결합은 가능해 졌고, 내부 양자수는 여전히 궤도 양자수와 같거나(궤도 양자수-1/2+1/2) 또는 궤도 양자수보다 1만큼 적은(궤도 양자수-1/2-1/2) 두 가지 값으로서 두 겹 상태를 표시했다. 세 겹 상태의 경우에도 유사한 방식으로 해결이 가능했고, 하지만,
"궤도 양자수를 공유하는 역학적 기본 바탕은 무엇인가? 빼거나 별도로 얻은 수는 왜 반半정수인가?"
라는 의문은 여전히 풀리지 않은 채 남아 있었다.
…'원자 속'은 각운동량이 축소 플랑크 상수의 절반(1/2)이고 자기 모멘트가 1보어 마그네톤이어서(전하질량 비와 축소 플랑크 상수를 곱하고 2로 나눈 양), 자기회전 비율이 전자 궤도 운동에 대한 고전역학 계산 결과(전하질량 비를 2로 나눈 양)의 '두 배'였다! [자기회전 비율은 자기 모멘트와 각운동량의 비율이다].

그 당시 '두 배'의 의문은 풀리진 않는 골칫거리였지만, 한편 '원자 속' 모형은 '원자 속'과 '바깥 전자'의 결합뿐만 아니라 자기장에 대한 상호작용과 같이 물리적 현상을 이해하는 데 큰 도움이 되었다.

1923년, 슈테른-게를라흐 실험이 완료되고 난 다음 해, 랑데는 반정수에 대한 수학적인 해결책을 찾아서 내부 양자수와 궤도 양

자수와 '원자 속' 양자수를 사용하여 지-수 [136]공식을 다시 제안했다. 그는 지-수가 유리분수이고 자기 양자수가 반정수로 나타나는 것을 목격하여, 궤도에서 회전하는 전자의 각운동량과 별도로 궤도 안쪽을 채운 '원자 속' 각운동량을 함께 포함했다. '원자 속' 각운동량이야말로 "반정수의 근원"이라고 랑데는 생각했는지도 모른다.

원자가 자기장에 놓일 때, 궤도 바깥뿐만 아니라 '원자 속' 각운동량도 함께 공간에 투영되어 띄엄띄엄 표식을 드러내는, 공간 양자화와 분광선 가닥수는 깊숙이 관련돼 있는 것처럼 보였다.

랑데가 새로 만든 지-수 공식은 [137]현재 사용하는 것과 기본적으로 동일했다. 궤도 양자수에 대해서 [138]현대 궤도 양자수에 절반(1/2)을 더하고, '원자 속' 양자수에 대해서 현대 스핀 양자수에 절반(1/2)을 더한 다음, 내부 양자수에 대해서 현대 총양자수에 절반(1/2)을 더하면 완벽하게 같았다. 그러나 해결하지 못한 문제가 아직도 남아있었다.
…정상 제이만 효과에서 '1'이었던 지-수가 두 겹 상태에서는 왜 '2'로 계산이 되었는지 여전히 밝힐 수가 없었다.

랑데 공식은 여전히 숫자 나열이었고, 다른 과학자들도 할 수 있는 작업이었다. 상황에 따라서 임의로 짜 맞추는 것이 아니라 일관성 있게 설명하는 양자역학 모형이 절실하게 필요했다.

8.2 비정상 제이만 효과

1921년, 오스트리아 물리학자 볼프강 에른스트 파울리(1900-1958)는 스무 살 나이로 아르놀트 조머펠트 교수 지도하에 독일 뮌헨 대학교에서 물리학 박사학위를 받았다. 우리에게 '마하 수數'로도 잘 알려진, 물리학자이고 경험주의 철학자 에른스트 마흐(1838-1916)가 그의 유대교 대부였고, 파울리의 중간 이름도 마흐에서 유래했다. 파울리는 조머펠트 교수로부터 〈독일 수학 백과사전〉 내용 중 상대성 이론을 검토해달라는 요청을 받고, 박사학위를 마친 뒤 2개월 만에 237쪽에 달하는 [139]단행본을 출판했다. 아인슈타인도 그의 책을 보고 매우 높게 평가했다.

"가장 감탄해야 할 일은, 이 책이 사고思考 전개의 심리학적인 이해, 수학적 추론의 확실성, 심오한 물리적 통찰력, 명료하고 체계적인 표현 능력, 문학 지식, 주제의 완전한 처리 또는 비판적인 평가의 확신으로 가득 차 있다는 것이다. 이 내용을 공부한 사람이라면 누구나 이 작품 저자가 21살 젊은이라는 사실을 믿으려 들지 않을 것이다."

오스트리아 출신 스웨덴 물리학자이고, 독일 베를린 「한-마이트너 원자핵 연구소」에 이름이 붙여진, 리제 마이트너(1878-1968)는 파울리 부인 프랑카 파울리에게 [140]편지를 보낸 적이 있다.

- 1921년 가을 룬드에서 조머펠트를 만났을 때, "더 이상 내게서 아무 것도 배울 필요가 없는 뛰어난 천재 학생이 있는데, 독일에서 '대학 법' 때문에 그 학생은 박사학위를 받기 위해 6학기 동안 그냥 앉아 있어야만 했다. 하는 수 없이 그 학생에게 수학 백과사전의 한 단원을 작성하라고 시켰다."라고 파울리에 관해 조머펠트가 얘기해준 적이 있습니다.

1921년 10월, 파울리는 괴팅겐에서 막스 보른 교수의 조수로 연구를 시작했다. 이 기간 동안 보른은 파울리와 함께, 천문학에서 사용하던 미동微動 이론이라고 부르는 “매우 작은 움직임의 이론”을 원자물리학에 체계적으로 응용하기 위해 연구를 진행하면서 그의 뛰어난 재능을 일찍이 알아보았다. 보른은 아인슈타인에게 보낸 11월 29일 편지에서 적었다.

- 젊은 파울리는 매우 고무적입니다. 그와 같이 훌륭한 조수를 다시는 볼 수 없을 것입니다.

하지만 막스 보른은 또 다른 훌륭한 조수, 베르너 하이젠베르크를 괴팅겐에서 나중에 만난다.

다음 해 4월, 파울리는 독일 물리학자 빌헬름 렌츠의 조수가 되어서 함부르크 대학교로 자리를 옮겼다. 대도시를 선호한 것이 이유였다. [빌헬름 렌츠는 아르놀트 조머펠트의 박사학위 학생이었고, 통계역학에서 ‘이징 모형’으로 알려진 강자성체 수학모형을 그의 학생 에른스트 이징과 함께 만들었다]. 당시에 파울리에게 새로운 변화를 불어넣은 과학자는 다름 아닌 닐스 보어였다. 닐스 보어를 처음 만난 것은 1922년 6월에 괴팅겐에서 열린 〈볼프스켈 연속 강연회〉에서였다. 매년 열리는 “헨델 오페라 축제”보다 2주 전 개최되어서 나중에 “보어 축제”라고 불렸다. 일곱 개 강연으로 이루어졌고, 강연자로서 닐스 보어가 원자를 이해하기 위한 보어-조머펠트 이론의 최근 동향을 발표했으며, 후반부에 원소 주기율 체계에 관련된 이론을 보고했다. 강연회에는 뮌헨에서 아르놀트 조머펠트와 그의 학생인 베르너 하이젠베르크, 함부르크에서 볼프강 파울리, 괴팅겐에서 파스쿠알 요르단, 다비트 힐베르트, 펠릭스 클라인, 카를 다비트 룽게, 리하르트 쿠란트, 그외에도 파울 에렌페스트와 오스카르 클레인도 참석자 명단에 이름을 올렸다.

보어는 강연회에서 원자의 모든 전자들이 가장 안쪽 궤도에 함께 묶여 있지 않는 이유에 관한 의문이 바로 자신의 연구에서 중심에 놓여 있다, 라고 강조했다.

“왜 원자에서 전자들은 가장 안쪽 궤도에 한꺼번에 배열되어 있지 않을까?”

그 당시 고전 물리학은 이러한 의문에 아무런 대답도 할 수 없었다. 주기율표 구조를 설명하는 방법을 찾아야 했지만, 과학자들은 비정상 제이만 효과의 문제를 푸느라고 눈코 뜰 새 없었다. 파울리는 두 문제가 서로 관련이 있다고 생각했다.

보어는 강연회 도중에 만난 자리에서 파울리에게 코펜하겐을 1년간 방문하겠느냐고 물었고, 파울리는 보어의 초청을 수락하여, 1922년 가을부터 1년간 코펜하겐을 방문하여 비정상 제이만 효과를 연구했다.

괴팅겐에서 닐스 보어와 만났던 인연으로, 코펜하겐에 있는 보어의 「이론물리학 연구소」에서 약 1년간 지낸 파울리는 141)그 당시를 떠올렸다.

“코펜하겐의 아름다운 거리를 목적 없이 걷고 있었다. 낯이 익은 동료 물리학자가 다가와 친근하게 말을 걸면서, ‘당신 얼굴이 그렇게 행복해 보이지 않습니다.’라고 말하여, ‘비정상 제이만 효과로 고민에 빠져 있는데 어떻게 행복할 수가 있습니까?’라고 나는 거칠게 대답했다.”

비정상 제이만 효과는 한편 아름다움과 간결함을 내보이며 결실을 예고했지만, 또 다른 편에서는 고전 물리학뿐만 아니라 양자 이론으로도 전자들이 항상 '세 겹 상태'로만 이어져, 거의 이해할 수가 없었다. 들여다보면 볼수록 더욱 접근하기가 어려웠다.

1924년 10월, 어니스트 러더포드의 박사과정 학생인 에드먼드 스토너(1899-1968)는 『원자 층 사이에서 전자 분포』의 [142]논문을 〈철학 잡지〉에서 발표했다. "원자 특정 주양자수에 해당하는 전자 궤도, [143]주主에너지 층層에 놓인 최대 전자 수가 할당된 내부 양자수를 모두 더한 총합의 두 배와 같다"라는 소위 "스토너 규칙"이 논문에서 제시되었다.
…여러 전자들을 포함한 보어 원자에 대해서, 올바르게 공식을 세워 서술한 첫 번째 논문이었다.

그는 2년 전 보어가 제안했던 "궤도 양자수로서 표시된" [144]부副에너지 [145]층層에 늘어놓은 전자들의 배열이 주기율표를 설명하기에 충분하지 않다고 판단했고, 대신 조머펠트가 발견한 내부 양자수에 깊숙이 관련되어 있다고 논문에서 밝혔다. "주양자수로서 표시된" 주主에너지 층에 포개어 감춰졌던, 부副에너지 층들의 '겹침'이 해제되어, 그 모습을 밖으로 드러내면서 전자들의 배열을 정확하게 설명했다.
—닫힌 궤도에서 최대 전자 개수는, 자기장에서 궤도 '겹침'이 해제될 때, 주에너지 층이 분할돼 나타난 부에너지 층 개수와 일치한다.

원자에서 방출된 전형적인 광학 또는 엑스선 분광선에서, 연속으로 이어지는 미세, 복합, 여러 겹 구조가 항상 관측되었고, 그중에서도 가장 간단한 구조로서 두 분광선이 한 쌍을 이루며 근접해 나란히 나타난 '두 겹' 상태가 알칼리 금속 원자에서 흔히 관측되었다.

스토너는 이미 랑데가 계산했던 형식에 따라서 궤도 양자수로 표시된 부에너지 층마다, '두 겹' 상태를 고려하여 내부 양자수를 채워 나갔다. 조머펠트 방식에서 궤도 양자수는 주양자수보다 크지 않지만 0보다는 컸고, 내부 양자수는 146) 두 겹 상태에 대해 궤도 양자수와 같거나 1만큼 적었다.

주양자수가 1, 2, 3, 4로 증가하면서, 주에너지 층마다 내부 양자수는 부에너지 층을 채워나갔다: 1 {(1)} , 2 {(1), (1, 2)} , 3 {(1), (1, 2), (2, 3)} , 4 {(1), (1, 2), (2, 3), (3, 4)},....... 주에너지 층을 표시하는 { } 괄호 왼쪽의 수는 주양자수를 가리켰고, 부에너지 층을 표시하는 ( ) 괄호 안쪽의 수는 내부 양자수를 각각 나타냈다. { } 괄호 안에 있는 내부 양자수를 부에너지 층마다 각각 더하면, 그 합은 주에너지 층마다 늘어났다: 1 {1(1)} , 2 {4(1+3)} , 3 {9(1+3+5)} , 4 {16(1+3+5+7)},.......
…주에너지 층마다 내부 양자수 합승은 '주양자수 제곱'과 같았다.

'두 겹' 상태를 고려해서 내부 양자수 합이 '두 배'로 증가한다면, 그 결과는 주에너지 층마다 모든 부에너지 층을 채우는 최대 전자 수와 정확히 일치했다: 1{2(2)}, 2{8(2+6)}, 3{18(2+6+10)}, 4{32{(2+6+10+14)},.......

…주에너지 층마다, 부에너지 층들을 채우는 최대 전자 수는, 내부양자수를 모두 더한 수의 두 배로서, 해당 주양자수 제곱의 두 배였다.

에드먼드 스토너의 캐번디시 생활은 그렇게 순탄하지 않았다. 내성적이었던 그는 30명이 넘는 연구원들과 함께 세계 물리학을 이끌던 호탕한 성격의 어니스트 러더포드에게는 눈에 띄게 돋보이지 않았던 것으로 보인다. 그 당시를 스토너는 돌이켜 [147]얘기했다.

- 나는 러더포드 교수에게 엄청난 존경심을 갖고 있지만, 그에 관한 칭찬과 업적에 이미 알려진 것 이외의 새로운 내용을 추가하지는 않겠다....... 그는 젊은 학생들에게 직접 도움을 주거나 고무적이지 않았다. 1년이 지난 뒤에 러더포드 교수는 여전히 공식적인 내 지도교수였고, [148]길버트 스테드 선생님이 나를 직접 지도하도록 마련해 주셨다.

- 러더포드 교수는 가끔 연구실을 잠깐 동안씩 방문했고, 연구학생들과는 주로 혼자서 얘기했으며, 연구에서 큰 진전이 있었을 때만 다정하게 칭찬을 해주곤 했다. 그러나 상황이 좋지 않았을 경우에는 멀리서도 들을 수 있을 정도로 그의 타고난 큰 목소리로 매우 지독하게 비평을 하곤 했다. 그에게 반론할 기회는 좀처럼 찾기 어려웠고 불공평해 보이기까지 했다....... 연구학생을 끝내고 난 뒤에도 그와의 대화는 나에게 결코 쉽지 않았다. 하지만 이러한 것들은 러더포드 교수의 한 단면일 뿐이었다.

-1923년에 당뇨병으로 아덴브룩 병원에서 치료를 받았던 경우처럼, 개인적으로 어려웠을 때 그는 매우 친절했다. 병원에서 퇴원하고 돌아왔을 때 내가 작업하던 엑스선 연구를 다른 연구원이 돕게 만들어 주셨고, 오스트레일리아 뉴사우스웨일스 대학교 출신 레슬리 헤롤드 마틴(1900-1983)이 나와 함께 일하도록 배려해 주셨다. 나는 러더포드 교수가 물리 과학 분야에서 매우 탁월하며 위대한 분이라고 생각했고, 인물에 대한 그의 판단, 학문과 사회 문제에 대한 그의 견해가 다른 위대한 과학자들보다 본질적인 면에서 거의 옳다고 느꼈다.

스토너가 러더포드와 가졌던 관계는 스토너가 이론물리학자로서 발전하는 과정에서 영국 이론물리학자 랄프 파울러(1889-1944)와의 관계로 이어졌다. 파울러는 러더포드의 사위였고, 에드먼드 스토너가 1924년 10월 〈철학 잡지〉에서 발표했던 『원자 층 사이에서 전자 분포』의 논문 교신저자였다. 스토너는 파울러가 관측한 '흰 난쟁이별'을 근거로, '흰 난쟁이별'의 한계 질량을 인도 출신 미국 천체물리학자 수브라마니안 찬드라세카르(1910-1995)보다 1년 일찍 [149]계산했다. 찬드라세카르는 파울러의 박사학위 학생이었다.

8.3 네 번째 양자수

1923년 여름 볼프강 파울리는 코펜하겐에서 함부르크로 돌아왔다. 그동안 하이젠베르크, 랑데, 조머펠트가 내부 양자수와 자기 양자수를 반정수로 가정하여 논문 수편을 발표해서 큰 진전을 보였던 반면에, 파울리는 하이젠베르크와 랑데가 양자수로 사용했던 반정수 개념을 비정상 제이만 효과와 상관없이 원자 이론을 설명하는 연구에 활용하려고 150)시도하고 있었다.

“함부르크 대학교에 돌아온 직후, 나는 첫 번째 강의로서 원소 주기율표를 가르쳤다. 그러나 전자의 닫힌 궤도 역할을 명확하게 이해하지 못했기 때문에 강의 내용은 그렇게 만족스럽지 않았다.”151)

그 당시 두루 쓰이던 “정통” 견해에 따르면, 1922년 괴팅겐에서 열린 보어 강연회에서 언급되었던 것처럼, ‘원자 속’ 각운동량은 0이 되지 않고 오히려 두 겹 구조를 일으키는 요인이었다.

파울리는 전자의 닫힌 궤도가 비정상 제이만 효과에서 나타난 여러 겹 구조와 깊은 관련이 있다고 확신했다. 그는 ‘정통’ 개념을 버리고 ‘비非고전’ 방식을 따르기로 마음을 정했다. 가장 단순한 경우로서 알칼리 원자 분광선의 두 겹 구조를 세밀하게 살피기 시작했다. 파울리는 랑데에게 152)보낸 편지에서, 랑데 지-수에 사용된 내부 양자수, 궤도 양자수, ‘원자 속’ 양자수에 각각 절반(1/2)을 더해야 “한 쌍을 이루며 나란히 이웃하고 남겨진 두 겹 상태”를 나타내어, 실제 원자, 바깥(원자가) 전자, 그리고 ‘원자 속’ 각운동량 값과 일치한다고 알렸다.

- 각운동량은 각각 한 개가 아니라 한 쌍의 양자수로서 표시되고, 어떤 경우에는 명확하게 153)“이중二重”으로 나타난다. 이중 개념은 궤도 양자수에도 관계가 있어 보이지만, 실제로 반半정수인 ‘궤도 양자수’는 존재하지 않는다. 이는 이미 엑스선 실험으로부터도 증명이 되었다.

파울리가 새로 생각해 낸 각운동량 양자수의 ‘이중’에 대한 구상은 이후에 전개될 연구에서 중요한 요소로 작용한다. 모호한 표현이기는 했지만 각운동량이 동시에 ‘짝을 이루는 두 겹 상태’를 나타내는 데서 더 이상 적합한 단어를 떠올릴 수 없었다. 1923년 9월에 두 겹을 이루는 각운동량을 나타내기 위해서 ‘이중’ 개념이 도입되었고, ‘전자’는 물론이고 ‘원자 속’ 각운동량을 표시하는 경우에도 사용되었다. 에드먼드 스토너 논문에서, “원자의 특정 주양자수에 해당하는 전자 궤도, 주主에너지 층層에 놓인 최대 전자 수가 할당된 내부 양자수를 모두 더한 총합의 ‘두 배’와 같다”라고 언급했던 ‘스토너 규칙’은 ‘이중’ 개념을 펼치려는 파울리의 관심을 끌기에 충분했다.

파울리는 원자 안에서 전자의 양자 상태를 설명하기 위해서 정식으로 네 번째 양자수를 추가했다. 처음 세 가지는 원자핵 주위 궤도에서 움직이는 전자에 관련되어 실제로 확인된 것들이었다. 네 번째 양자수는 고전 물리학으로는 설명이 불가능했고, ‘이중’이라는 의미처럼 “짝을 이루는 두 가지 값”으로 모두 표시가 가능했지만, 아직 확인된 것은 없었다.

1924년 12월, 파울리는 제이만 효과에 관련된 『전자 질량의 속도 의존성이 제이만 효과에 미치는 영향』의 [154]논문을 독일 〈물리학 잡지〉에 제출했다. 논문에 따르면, 알칼리 원자의 첫 번째 궤도, 닫힌 궤도의 각운동량이 0이 아닌 것으로 나타나는 ‘두 겹 구조의 보어 이론’은 올바르지 않았고, 닫힌 궤도는 각운동량뿐만 아니라 자기 모멘트도 0이었다.

파울리는 ‘원자 속’ 닫힌 궤도의 각운동량을 대신하여 새로운 양자 특성을 전자에 부여했다.
—알칼리 원자 분광선의 두 겹선은......, 고전 물리학 관점에서 설명이 불가능했고, 전자의 양자 특성인 ‘이중’ 값이 그 원인이었다.

아직 양자역학이 채 이루어지기 전이었지만, 이미 파울리는 전자 자기 모멘트의 양자 특성을 예견하고 있었다. ‘겹침’이 완전히 해제된 에너지 층은 전자 하나만 점유할 수 있다는 결론에 마침내 도달했다. 1925년 1월 16일, 원자에서 전자 배열을 설명하는, 소위 “밀어내기(또는 배타) 원리”에 관한 『원자에서 전자군群의 닫힘과 분광선 복합 구조의 연관성』의 [155]논문이 제출되었다.

자기장에 놓인 원자에서 네 가지 양자수가 모두 같은 두 개 이상의 전자는 존재하지 않는다. 만약 네 가지 양자수가 명확하게 구분되는 원자에서 한 전자가 존재한다면, 이 상태는 “점유”되어 있다고 말한다.

네 가지 양자수는 주양자수, 궤도 양자수, 총양자수, 자기 양자수였다. 총양자수는 [156]궤도 양자수보다 1/2만큼 더 크거나 적어서[그러나 0보다 커야하며] 궤도 각운동량뿐만 아니라 ‘내부 자유도’의 양자수를 포함했고, 자기 양자수는 총양자수가 자기장 방향으로 투영된 성분으로서, 양수와 음수와 0을 모두 포함했다. 궤도 양자수가 0이면 총양자수는 1/2이고, 자기 양자수는 +1/2과 -1/2이어서, 자동적으로 새롭게 전자의 ‘이중’ 상태가 표시되었다. [“배타排他"는 남을 밖으로 밀어내어 고유한 상태에 있다는 뜻이며, '밀어내기(또는 배타) 원리'는 자기 양자수가 반정수인 입자들, 전자, 양성자, 중성자와 같은 "페르미 입자"에만 적용된다].

전자의 네 번째 양자수에 파울리는 아무런 물리학적인 해석을 내놓지 않았다. 고전 물리학에서는 해당하는 조항이나 용어 자체를 찾는 것이 불가능했다. 전자의 '네 번째 자유도'에 관련해서는 이해할 만큼 제시된 내용이 없기 때문에, '밀어내기 원리'는 그 당시에 많은 물리학자들을 곤란하고 당황스럽게 만들었다.

…주양자수는 '전자 궤도의 크기와 에너지', 궤도 양자수는 '전자 궤도의 모양과 각운동량', 자기 양자수는 '전자의 공간 분포'를 각각 '자유도'로서 제시했지만, 파울리가 제안한 네 번째 양자수는 여전히 '자유도'의 실체를 파악하지 못하고 있었다.

다만 조머펠트는 새로운 차원을 나타내는 기호로서 제안했던 내부 양자수가 기계와 같이 항상 움직이는 원자 안에 '숨어있는 회전'으로서, 언젠가는 그 존재를 확인시켜 줄 것으로 믿고 있었을는지도 모른다.

"전자의 네 번째 자유도는 고전 물리학으로 설명할 수 없다."라는 파울리의 고백 대신, 이번에는 다른 젊은 물리학자들이 '전자의 내부 자유도' 모형을 제안하고 나섰다.

8.4 전자 고유 각운동량

컬럼비아 대학교 [157]박사과정 학생이던 스무 살의 랄프 크로니히(1904-1995)는 학교 장학금(베이야드 커팅 장학금)으로 유럽을 여행하던 중 알프레트 랑데를 만나기 위해서 튀빙겐 대학교를 방문했다. 도착한 날 랑데는 크로니히에게 말했다.[158]
"운이 좋게도 내일 파울리가 여기 올 예정이다."

파울리는 예년처럼 크리스마스 휴가를 비엔나에서 가족과 함께 지내면서, 랑데에게 1925년 1월 9일 하루 동안 튀빙겐을 방문하겠다고 엽서를 보냈었다. 자신의 '밀어내기 원리'를 랑데와 함께 의논하고, 「파셴 연구소」 분광선 자료도 확인해 볼 예정이었다. 랑데는 파울리로부터 받은 편지를 크로니히에게 보여 주었다. 거기에는 나중에 '파울리 밀어내기 원리'라고 부르게 될 내용을 증명하기 위해서 파울리가 랑데로부터 확인하고 싶은 분광선에 관한 여러 질문이 적혀 있었다.

훨씬 후에 [159]출판된 책에서 크로니히는 파울리와 만남을 적었다.

- 파울리 편지는 나에게 특별한 인상을 남겼고, 자연스럽게 알칼리 원자 스펙트럼으로부터 익숙한 양자수들, 그중에서도 특히 궤도 양자수와 '원자 속' 양자수가 원자에서 전자 운동을 나타내기 위해 사용된다는 사실이 내게서 많은 호기심을 불러 일으켰다. '원자 속' 양자수가 이제는 더 이상 '원자 중심부'에서 일어나는 것이 아니라, 전자 "고유 각운동량"에서 비롯된다는 생각이 얼핏 떠올랐다. ["고유" 각운동량은 "스스로 도는" 각운동량 또는 "스핀" 각운동량이다].

- 양자역학이 등장하기 전 유일하게 근거가 되었던 원자모형의 언어를 빌려서, 그것은 "전자 축"에 관한 회전 때문이라고 밖에는 달

리 설명할 방법을 찾을 수가 없었다. 그러한 주장이 여러 가지 심각한 난관에 부딪혔던 것도 사실이었지만, 여전히 매력적이었고 그날 오후 편지에서 읽었던 생생한 기억으로...... 나는 소위 "상대론적 두 겹 상태 공식"을 유도해 내는 데 성공했다.

크로니히는 전자 '고유 각운동량 양자수'가 절반(1/2)이라고 가정했고, 크기가 1보어 마그네톤인 '고유 자기 모멘트'가 순전히 전자에서 비롯된 것으로서, 원자핵 주위에서 정전기 힘뿐만 아니라 궤도 각운동량과 자기장에서도 영향을 받는다고 생각했다. 그 당시 크로니히가 계산했던 '상대론적 두 겹 상태' 에너지 차이는 파울리 계산에 비해서 "2배의 (궤도 양자수 - 1)/(궤도 양자수)" 만큼 차이를 보였다.

…이 계산에서 나타난 '2배'는 곧 엄청난 혼란과 논쟁 속에서 유명세를 타게 된다!

다음 날, 크로니히는 랑데와 함께 파울리를 마중하러 기차역으로 나갔다. 수염을 기르고 나이가 든 모습의 파울리를 왠지 떠올리며 기다렸다. 기대와는 다르게, 그의 강한 개성에서 퍼져 나오는 힘의 공간이 즉시 피부에 다가왔다. 동시에 매혹과 불안함이 느껴졌다. 곧 랑데 연구실에서 회의가 시작되었고, 크로니히도 틈틈이 말할 기회를 찾았다. 파울리는 크로니히가 설명한 전자 고유 각운동량에 대해서 [160]말했다.

"꽤 재치 있는 생각이다."

파울리는 크로니히 생각이 현실로부터 동떨어져 있다고 믿었다. 크로니히가 설명한 전자 고유 각운동량이 고전 물리학 이론에 전혀 맞지 않았고, 무엇보다도 분광선 미세구조 간격이 실제보다 '2배'였다는 것이 더 큰 이유였다.

그 일이 있은 다음, 크로니히는 괴팅겐, 베를린, 코펜하겐에서 하이젠베르크, 크레이머, 보어를 차례로 만났다. 그들로부터 의견을 들어본 후, 크로니히는 전자 고유 각운동량에 관한 생각을 그만두기로 마음먹었다. 1925년 12월 유럽 방문을 마치고, 크로니히는 "새로운 양자역학"의 열정적인 지지자가 되었다. 1927년에 그는 컬럼비아 대학교 조교수가 되었고, 1928년 4월 1일에 취리히 연방 공과대학교 물리학과 교수에 새로 임용된 파울리가 크로니히를 그의 조수로 초청하여 오랜 기간 동안 두 과학자의 친밀한 관계가 지속되었다.

[161]1923년, 조지 울렌벡(1900-1988)은 레이던 대학교에서 석사학위를 마쳤다. 그는 2년 동안 이탈리아에서 머물렀고, 1925년 6월에 네덜란드로 돌아와서 파울 에렌페스트 교수의 조수로 일하며 두 살 아래인 사무엘 호우트스미트(1902-1978)로부터 분광학 이론을 배우고 있었다. 에렌페스트의 대학원 학생인 호우트스미트는 암스테르담 대학교에서 피터르 제이만 교수의 조수로서 분광학 실험을 도왔고, 파울리 '밀어내기 원리'에서 네 번째 양자수를 ±1/2의 '두 가지 값'으로 제안하는 [162]논문을 이미 발표한 적이 있었다.

울렌벡은 물리학 연구에서는 풋내기였지만, 분석에 뛰어났고 이론물리학에 조예가 깊었으며, 네덜란드 철학자 [163]요하네스 반 헤

키우스에 관해 논문을 썼을 만큼 야심찬 역사학 지망생이었다. 그에 비해서, 호우트스미트는 "분석, 사고思考, 경험"보다는 오히려 "직관"에 의존하는 성격 소유자였다. 울렌벡은 나중에 호우트스미트에 관해 언급했다.

"사무엘은 결코 깊이 사색하는 유형의 인물이 아니었다. 널리 펼쳐진 자료에서 임의로 필요한 것을 찾아내어 방향을 잡아 나가는 작업에는 놀랄만한 천재성을 지녔다. 그는 암호문을 푸는 마법사와 같았다."

미국 물리학자 이지도어 라비는 나중에 164)말했다.

"그는 탐정처럼 사건을 생각했고, 실제로 탐정이기도 했다."

사실, 호우트스미트는 8개월 동안 탐정 일을 위한 수업에서 지문, 문서 위조, 혈흔을 식별하는 방법을 배웠고, 2년 동안 대학 과정에서 상형문자 해독을 공부하기도 했다.

1925년 여름 내내 울렌벡은 1주일에 이틀씩 레이던에서 "다차원 파동 방정식"을 에렌페스트와 연구하면서, 나머지 날들에는 헤이그에서 호우트스미트와 함께 그 당시 첨단 물리학이었던 원자 이론의 진전 상황을 얘기하며 지냈다. 울렌벡은 그 때 여름을 "호우트스미트 여름"이라고 불렀다.

얼마 지나지 않아서 울렌벡에게 하던 호우트스미트의 지도는 공동 연구와 논문 발표로 전환되었고, 그들은 지속적이고 친밀한 친구 사이로 바뀌었다. 호우트스미트가 울렌벡에게 가르쳤던 내용 중 하나는 비정상 제이만 효과에 관한 알프레트 랑데 이론이었다.

“1921년, 랑데는 각운동량 양자수를 반정수로 가정해서 비정상 제이만 효과를 설명했다.”

호우트스미트의 해설은 이어졌다. 베르너 하이젠베르크가 첫 번째 논문에서 알칼리 원자의 ‘바깥 전자’와 ‘원자 속’이 각각 축소 플랑크 상수 절반에 해당하는 각운동량을 갖는다고 제안했다는 사실과, 고전 물리학 계산에서 1이었던 랑데 지-수를 2로 대신 취하면, 각운동량 양자수가 1 대신 절반(1/2)으로 줄어드는 과정을 상세하게 알려 주었다. 그리고 1925년 1월에 파울리가 발표했던 ‘밀어내기(또는 배타) 원리’에 대해서도 설명해 주었다.

“새로운 네 번째 양자수로서 ±1/2의 값이 ‘원자 속’이 아니라, 전자 “스스로”에 할당되었다.“

호우트스미트가 울렌벡에게 전해 주었던 또 다른 내용은 수소 분광선에서 관측된 ‘미세구조’에 관련된 조머펠트 공식이었다. 미세구조 공식이 165)제이만 효과 실험 결과와 얼마나 잘 들어맞았는지에 대해서도 가르쳐 주었다. 울렌벡은 만족스럽지 않았고, 잘 알지도 못했지만 호우트스미트에게 되묻곤 했다.

“알칼리 원자와 수소는 그렇게 많이 닮았는데도 불구하고, 왜 매우 다른 모습을 보일까? 알칼리 원자에 절반(1/2)의 양자수가 할당된다면, 왜 수소에는 적용되지 않을까?”

1925년 8월, 울렌벡과 호우트스미트는 조머펠트가 원자 에너지 층을 계산할 때 사용했던 양자수를 변형해서 헬륨 이온 미세구조에 관한 166)논문을 작성했다. 그들은 양자수가 제각기 전자 자유도와 관련되어서, 네 번째 양자수는 전자가 갖는 또 다른 자유도를 의미한다, 라고 판단했다.

"전자는 '스스로' 회전한다!"

랑데 지-수는 2이고 양자수가 절반(1/2)인 유별난 성질은 '원자 속'이 아니라 '전자 스스로, 즉 전자스핀'에 적용되었다. 전자스핀은 각운동량이 축소 플랑크 상수 절반(1/2)이고 자기장에 평행 또는 반평행하게 정렬돼 왼쪽 또는 오른쪽 방향으로 회전이 모두 가능했다.

사실, '스핀'은 전자에 대한 대담한 해석이었다. '점'같이 작은 전자는 질량이 0은 아니지만 공간을 차지하지 않아서, 각속도가 무한대가 될 만큼 크지 않다면 스핀 각운동량이 사라지기 때문에, 회전축에 관해 스스로 도는 전자스핀은 고전역학만으로 설명이 아예 불가능했다.

[167]호우트스미트는 랑데 지-수가 물리적 의미를 따로 내포하는지에 의문이 떠올랐고, 암스테르담에서 울렌벡에게 엽서를 보냈다.
- 전자스핀의 자기회전 비율이, 고전 물리학 결과였던 전하질량 비의 절반(1/2)인지 확인해 보았나요?

울렌벡은 엽서를 에렌페스트 교수에게 보여 주었고, 그의 조언대로 막스 아브라함의 [168]논문을 찾아서 읽어보았다. 그리고 전자가 표면에만 전하를 가진 단단한 구라고 가정한 다음, 전자스핀의 자기회전 비율을 [169]계산했다. 예상했던 대로 전자스핀의 자기회전 비율은 고전 물리학 결과의 '2배'로서 단순히 전자의 전하질량 비였다.

전자스핀에 관련된 내용과 계산 결과를 읽어 본 에렌페스트 교수는 말했다.
"너희 두 사람의 새로운 발견은 매우 중요하든지, 아니면 터무니없든지 둘 중 하나다. 하지만 반드시 논문으로 출판돼야 할 것 같다."

에렌페스트는 대신 짧고 간략하게 논문을 작성하고, 그것을 자신에게 달라고 부탁했다. 그리고 로런츠 교수와 함께 논문 내용을 한번 의논해 보자고 권했다. 그가 로런츠 교수에게 연락했던 편지에는 1925년 10월 16일의 날짜가 적혀 있었다.
-...... 다음 주 월요일에 만나서 울렌벡이 분광선에 관련해서 생각해낸 "재치 있는" 얘기를 한번 들어보시죠.......

그 당시 72세인 로런츠 교수는 은퇴하고 난 뒤였지만 할렘에 살면서 약 40킬로미터 떨어진 레이던에서 매주 월요일 오전 11시에 물리학의 "최근 현황"을 주제로 강의를 하고 있었다. 10월 19일 월요일, 호우트스미트는 다른 일이 있어서 오지 못했고, 울렌벡은 로런츠 교수와 만나서 그들의 전자스핀 생각을 털어 놓았다. 울렌벡은 그에게서 좀 회의적인 반응을 느꼈지만, 로런츠 교수는 매우 친절하고 흥미를 보이며 다음 월요일에 다시 만나자고 약속했다.

일주일이 지나고 로런츠 교수를 만났을 때, 그는 손 글씨로 아름답게 수식들을 적어 놓은 계산 종이 한 무더기를 울렌벡에게 내밀었다. 울렌벡은 그 내용을 다 이해하지는 못했다. 대신 심각한 문제들이 기다리고 있다는 것을 충분히 알아차릴 수 있었다.
…만약 전자를 아브라함의 속이 빈 구형 전하로 가정한다면, 전자 스핀 각운동량은 2/3와 질량과 표면 속도와 반지름의 곱이었고, 동시에 축소 플랑크 상수의 절반으로 계산되었으며, "고전 반지름"이라고 부르는 전자 반지름을 [170]정전기 단위에서 전자 전하 제곱과 정지 에너지의 비율로서 놓는다면, 전자스핀의 표면 속도는 빛보다도 10배 이상이나 빨랐다!
…그뿐만 아니었다. 전자 표면 속도가 빛보다 느려진다면, 전자 반지름은 적어도 고전 반지름의 10배 이상이나 돼야 했다. [고전 반지름은 약 10조 분의 2.82센티미터이고, 미세구조 상수(1/137) 제곱과 보어 반지름을 곱한 양이다].

로런츠 교수가 보여준 내용처럼, 아브라함 계산이 그대로 확장돼 사용된다면, 울렌벡과 호우트스미트가 제안한 전자의 양자화된 회전, 즉 '스핀'의 그림은 고전 전자기학과 도저히 양립할 수가 없었다. 울렌벡은 그들의 논문에서 명시된 전자스핀 각운동량이 고전 물리학 개념과 전혀 어울리지 않는다고 판단했다. 그리고 이 사실을 에렌페스트 교수에게 전했다.
"전에 교수님께서 말씀하신 내용 중['너희 두 사람의 새로운 발견은 매우 중요하든지, 아니면 터무니없든지…….'], 후자['터무니없든지…….']가 옳다는 생각이 들었습니다. 모든 것이 말도 되지 않는 소리였고, 저희 논문은 발표되지 않는 편이 나을 것 같습니다"

그러자 놀랍게도, 에렌페스트 교수는 대답했다.
"논문은 이미 제출되었다. 곧 출판될 거야."

그리고 덧붙여서 말했다.

"나는 너희 생각이 틀렸다고 생각하지 않는다. 왜냐하면 나도 스핀을 전혀 모르기 때문이다. 스핀의 생각이 틀릴 수도 있지만 매우 멋진 개념인 것만은 사실이고, 너희는 아직 이름을 널리 알리지 않았기 때문에 크게 잃을 것도 없다. 너희 둘은 엉뚱한 일을 할 만큼 아직은 젊다!"

그들 [171]논문이 발표되자, 11월 21일, 호우트스미트는 예전부터 잘 알고 지내던 하이젠베르크에게서 "축하"와 함께 "질문" [172] 편지를 받았다.

- 귀하의 훌륭한 생각은 파울리 이론이 가졌던 여러 어려움을 모두 없애 줄 것입니다. 그러나 알칼리 원자의 두 겹 상태 에너지 차이가 실제에 비해서 '2배'로 나타나는 문제는 어떻게 해결했는지 알고 싶습니다.

준准고전 양자 물리학의 방법에 따라서 수소를 대상으로 유도한 미세구조 공식에서 에너지 간격이 실제보다 2배로 늘어난 것을 하이젠베르크는 지적했던 것이다. 원자에서 관측되는 분광선이 매우 가늘게 두 개 이상으로 갈라져서 나타나는 미세구조 에너지 분광선 계산에서, 하이젠베르크는 실험 수치보다 2배로 나타나는 결과를 이미 경험하고 있었다. [미세구조 공식은 전자의 스핀과 궤도각운동량 결합으로 나타난다].

레이던 물리학자들은 그동안 미세구조 문제를 생각해 본 적이 없었다. 하이젠베르크 편지를 받고나서야 그들은 2배 문제를 들여다보았다. 하이젠베르크가 언급했던 대로 그것이 사실임을 확인했지만, 2배 문제를 어떻게 처리해야 할지에 대해서는 그 방도를 찾을 수조차 없었다.

전자스핀 발견의 50주년을 기념하는 〈오늘의 물리학〉 1976년 6월호에서 울렌벡은, 하이젠베르크 편지에서 언급된 2배 문제에 처했던 당시 상황을 설명했다.

- 만약 파울리 방식대로 '원자 속' 랑데 양자수가 전자에 지정된다면, '원자 속' 양자수와 전자 궤도 양자수가 결합되는 과정은 당연히 불명확해질 수밖에 없었다. 보어는 '비非역학' 힘을 새로 도입했고, 파울리는 전자 운동의 '이중' 개념을 언급했다. 대신 우리는 '전자 구조'의 가설을 끌어들였고, 다소 난해하지만 이 점은 논문 제목인 『홀 전자 내부 행위에 대한 추측에 의해 고려된 비非고전역학 구속 조건 가설의 대체』에서도 엿볼 수가 있다.

- 그럼에도 불구하고 '전자 회전과 궤도 운동의 결합'을 이해하는 일은 여전히 기본적인 어려움으로 남았다. 하이젠베르크한테서 "전자스핀과 궤도 각운동량의 결합이 올바른 해답을 주지만, 2배 문제는 여전히 의문으로 남는다."라는 소식을 들었다. 우리는 여전히 그 공식을 유도하지 못했다. 그러나 해결 방법은 알고 있었다.

매년 한 달 또는 그 이상씩 레이던을 방문하는 아인슈타인이 마침 그 단서를 제공해 주었다. 전자가 정지해 있는 좌표계에서는, 움직이는 원자핵으로부터 전기장이 소위 '로런츠 변환'이라고 부르는 상대론 공식에 따라서 자기장을 만든다는 내용이었다. 그렇게 형성된 자기장에서 두 겹 상태의 에너지 분할이 계산되어서, 하이젠베르크가 유도했던 공식이 2배 문제와 함께 똑같이 드러났다. 크로니히가 파울리에게 보여줬던 계산까지 포함하면 세 번째였다.

1925년 11월 20일, 울렌벡과 호우트스미트가 전자스핀에 대한 획기적인 논문을 제출했을 때 닐스 보어는 전자스핀에 매우 회의적이었다. 특히 논문에서 언급된 스핀과 궤도의 결합이 걱정스러웠다. 한 달이 지난 다음, 닐스 보어는 '헨드릭 로런츠 박사학위 50주년 기념회'에 참석하기 위해서 코펜하겐에서 레이던으로 기차여행을 시작했다. 기차가 함부르크 역에 도착했을 때 볼프강 파울리와 오토 슈테른이 마중 나와 있었다. 전자스핀에 대한 보어의 의견을 들으려고 그들은 기다렸다. 보어는 그들에게 말했다.
"전자스핀의 개념은 매우 흥미로운데......."

그에게 "흥미롭다"라는 말은 "무엇인가 잘못되었다"라는 의미였다. 그리고 그는 오히려 질문했다.
"양전하의 원자핵이 만드는 전기장에서 움직이는 전자가 어떻게 미세구조를 일으키는 자기장을 경험할 수 있을까?"

다음 날 레이던 기차역에서 에렌페스트와 아인슈타인이 보어를 반갑게 맞이했다.

에렌페스트가 전자스핀의 의견을 보어에게 물었고, 보어는 '미세구조를 일으키는 자기장'에 반대하는 그의 의견을 얘기했다. 그러나 돌아온 대답은 놀랍게도 아인슈타인이 '상대론'을 사용해서 벌써 그 문제를 어느 정도 해결해 주었다는 것이었다.

그동안 레이던에서 지내던 아인슈타인이 해법을 제시했다고 에렌페스트는 말했다.
"회전하는 전자는 함께 움직이는 정지 기준좌표계에서 로런츠 변환된 자기장의 영향으로, 전자스핀과 자기장 그리고 전자스핀과 궤도각운동량의 결합된 상호작용을 제각기 겪습니다."

에렌페스트에게서 얘기를 전해 듣고, "아인슈타인의 설명은 완전한 경이驚異였다"라고 보어는 나중에 고백했다. 보어는 전자스핀을 둘러싼 남아있는 모든 문제들도 곧 해결될 것이라고 확신했다. 울렌벡은 아브라함의 논문을 근거로 로런츠 교수가 했던 전자스핀의 계산들도 언급했다. 보어는 그 계산들에 별로 주목하지 않으며 말했다.
"그 계산들은 오히려 고전역학의 어려움만 부각시킬 따름이고 실제 양자 이론이 나타나면 다 사라질 것이다."

보어는 2배 문제를 더욱 심각하게 받아들였지만 계산을 잘 다루면 그 문제도 언젠가는 없어질 것이라며, 로런츠 계산은 그가 완성한 고전 물리학에 근거했고, 전자스핀은 새로운 양자 개념이다, 라고 덧붙였다. 전자스핀의 일이 나중에 다 해결되고 나서 보어는 크로니히에게 보낸 173)편지에서 적었다.
"나는 그 이후로부터 우리가 슬픔 끝에 서 있는 어떤 순간에도 전혀 흔들리지 않았다."

174)레이던에서 기념회를 마친 보어는 코펜하겐으로 돌아오는 길에 괴팅겐에 들렀다. 기차역에서는 얼마 전까지 그의 조수였던 베르너 하이젠베르크가, 그리고 파스큐얼 요르단이 기다리고 있었

다. 그들은 보어에게 “스핀을 어떻게 생각하시는지요?”하고 물었다. 보어는 대답했다.

“스핀에 큰 진전이 있었다.”

그리고 스핀과 궤도 각운동량 상호작용에 대해서도 설명해 주었다.

하이젠베르크는, 그와 같은 내용을 언젠가 들었는데 누가 말했는지는 기억나지 않습니다, 라고 대답했다.

괴팅겐을 떠나서 보어는 ‘1900년 독일 물리학회 주최 플랑크 복사 이론 강연(공식적인 양자 탄생일) 25주년 기념회’에 참석하기 위해 베를린을 방문했다. 기차역에서 파울리가 기다렸다. 함부르크에서 베를린을 방문한 파울리는 그동안 ‘스핀’에 대해서 보어 생각이 어떻게 바뀌었는지 알고 싶었다. 보어가 큰 진전이 있었다고 얘기했다. 보어 생각은 바뀌었고, 지금 그는 전자스핀의 예언자가 되어 있었다. 보어의 설득에도 파울리는 좀처럼 움직이지 않았고, 양자스핀을 “코펜하겐의 새로운 이단”이라고 불렀다.

12월 22일, 코펜하겐에 돌아온 보어는 에렌페스트에게 편지를 썼다.

-...... 저는 스핀이 원자 구조 이론에서 큰 진전을 의미한다고 확신합니다. 더 나아가서, 저는 여행하면서 마치 전기 자석[자기장]의 복음을 전파하는 예언자처럼 느껴졌습니다. 오는 길에 만난 하이젠베르크와 파울리에게 그들이 갖고 있는 현재 이견은 그렇게 결정적이지 않으며, 양자역학 계산이 앞으로 모든 세부 사항들을 바르게 잡아줄 것이라고 납득시켰습니다. 호우트스미트와 울렌벡 논문

이 출판되기를 기대하겠습니다.......

보어 충고대로, 울렌벡과 호우트스미트는 논문을 수정하고 보충해서 175)두 번째 논문을 『스피닝 전자들과 분광선의 구조』의 제목으로 〈네이처〉에서 출판했다. 제출은 1925년 12월에 했고, 출판된 날짜는 1926년 2월 20일이었다. 그렇지만 미세구조에 해당하는 2배 문제는 여전히 미지로 남아 있었다. 그들은 다소 언짢게 결론을 내렸다.

—이 새로운 가설은 가족 유령을 집에서 완전히 쫓아내는 대신, 지하실에서 그 아래 지하실로 단지 옮기는 효과를 내는 것으로 보인다. [전자스핀은 '비정상 제이만 효과' 문제를 해결하는 대신 '미세구조'에서 2배 문제를 건드렸다].

레이던을 떠나기 전 보어는 호우트스미트를 코펜하겐으로 초청했다. 호우트스미트는 6주 동안 코펜하겐에 머물면서 전자스핀을 좀 더 배우려 했지만 뜻대로 되지 않았고, 「보어 연구소」에서 상대론에 매우 정통한 젊은 물리학자 르웰린 토마스를 만났다. 토마스는 거기서 하이젠베르크가 해결하려고 했던 2배 문제를 풀고 있었다. 6주 후, 헤이그로 돌아오는 길에 호우트스미트는 함브르크에서 파울리를 만나 2배 문제를 설명하려고 했지만 이해시키는 데 실패했고, 여전히 레이던에 머물고 있던 아인슈타인에게는 시도조차 하지 못했다. 그리고 수개월 후에 파울리로부터 토마스 논문의 출판과 그 내용을 확신한다는 엽서를 호우트스미트는 받는다.

1926년 3월 25일, 토마스는 영국으로 돌아가면서 네덜란드에

들러 호우트스미트와 만나고 싶다는 편지를 보냈다.

- 호우트스미트와 울렌벡, 두 분께서 파울리와 의논하기 전에 전자스핀의 논문을 출판한 것은 정말로 행운이었다고 생각합니다. 1년 전에 크로니히는 전자스핀을 확신했고 무언가를 계산했던 것으로 보입니다. 그는 그것을 파울리에게 처음 보여 주었고, 파울리는 그 모든 것을 너무 가볍게 무시했기 때문에 그것을 본 첫 번째이자 마지막 사람이 되어 버렸습니다. 그리고 모두가 그것을 모르고 지나쳐 버렸습니다. 이 모든 것은 "신은 실수를 하지 않는다."의 명제가 지상에서 자칭 신의 대리인에게까지는 미치지 않는다는 사실을 보여줄 따름입니다.......

제임스 클러크 맥스웰이 전자기 이론을 완성하고, 아인슈타인이 특수 상대성 원리를 발표하기 이전까지, 전자기 이론과 상대론의 기반을 닦아놓은 헨드릭 로런츠의 '박사학위 50주년 기념회'가 1925년 12월 11일에 레이던 대학교 대강당에서 열렸다. 네덜란드 왕자(여왕의 남편) 헨드릭을 비롯해서 수상이었던 콜레인, 닐스 보어, 마리 퀴리, 알베르트 아인슈타인, 피터르 제이만, 파울 에렌페스트, 카메를링 오너스, 등이 참석했다. 그 자리에서 카메를링 오너스는 이론물리학 연구를 위해서 '로런츠 기금' 시작을 발표했고, 나중에 19개국 약 2,000명으로부터 약 십만 길더의 모금을 받았다. 그 당시 1길더는 미국 화폐로 약 45센트로 거래되어서, 모금액은 현재 화폐 가치로 약 7만 달러에 해당한다.

8.5 전자스핀

자기 모멘트의 속성을 갖는 '전자스핀'은 비정상 제이만 효과를 설명할 수 있다는 전제에서 출발했다.

지구는 태양 주위를 1년에 한 번씩 공전하고, 공전 궤도의 수직선에 23.5도 기울어져 하루에 한 번씩 스스로 회전한다. 팽이 회전축이 지면 위 수직선을 중심으로 원 운동하듯이, 지구 자전축은 26,000년에 한 번씩 원을 그리며 "축軸돌기" 또는 "세차歲差운동"을 거듭한다. 축돌기는 스스로 회전하는 물체의 회전축이 시간이 지남에 따라 방향을 바꾸며, 또 다른(원 중심에 있는) 회전축을 중심으로 궤도 운동을 거듭하여 일어난다.

자기장에서 막대자석에 작용하는 '돌림 힘'은 자기장과 막대자석 자기 모멘트가 이루는 평면에 항상 수직으로 나타나고, 그 막대자석은 자기장 방향으로 정렬하려고 진동을 막 시작한다. 마치 나침반 바늘이 북쪽을 찾아가듯이, 처음에는 진동을 시작하다가 만약 마찰이 존재한다면, 에너지를 모두 다 써버리고 결국 막대자석은 자기장을 향해서 나란히 멈춰 서 버린다.

만약 마찰로부터 자유롭다면, 막대자석은 자기장에 대해서 일정한 각도를 유지하며 '회전' 운동을 끊임없이 지속한다. 회전 운동을 반복하면서 막대자석은 각운동량을 포함하고, 미시적인 관점에서 곧 자기 모멘트(자기회전 비율과 각운동량의 곱)로 표식이 가능하다. 시간이 지남에 따라 달라지는 자기 모멘트의 시간 변화율은 항상 자기 모멘트와 자기장에 수직인 방향으로 일어나고, 그래서 자기 모멘트는 자기장에 대해 변하지 않는 "고정된" 각도를 유지하며 원뿔 모양의 '축돌기' 운동을 거듭한다.

만약 스스로 회전하는 전자가 원뿔 모양을 만들며 원뿔 중심축에 관해서 '축돌기'를 거듭한다고 가정된다면, 전자스핀 회전축은 원뿔 표면을 이루고, 자기장은 원뿔 중심축을 향한다.

비정상 제이만 효과를 설명한 울렌벡과 호우트스미트의 전자스핀은, 그동안 관측된 미세 구조의 선 간격이 이론에 기초해서 계산된 결과에 비해 절반(1/2)에 불과하다는 점에서 또 다른 어려움에 직면하고 있었다. 만약 전자의 랑데 지-수를 2대신 1로 선택한다면, 미세구조의 선 간격은 관측된 수치와 일치하여 올바르게 계산이 되었지만, 이번에는 비정상 제이만 효과의 설명이 불가능했다.

전자스핀이 특수 상대론에 모순된다는 주장을 파울리가 펼치고 있는 동안, 케임브리지 대학교 대학원생 르웰린 토마스(1903-1992)는 그동안 논쟁이 되어 온 2배 문제에 대한 해답을 1926년 4월 10일 〈네이처〉에 발표한 『전자스핀의 운동』의 [176]논문에서 제시했다.

르웰린 토마스는 케임브리지 대학교에서 랄프 파울러의 지도를 받았고, 아서 에딩턴 교수에게서 상대론 강의를 들었다. 그는 '로런츠 박사학위 50주년 기념회'를 마치고 코펜하겐으로 돌아온 보어와 2배 문제를 논의한 뒤 사흘 만에 정답을 내놓았다.

—울렌벡과 호우트스미트의 원자 이론은 전자가 순간적으로 정지한 좌표계(좌표계 2)의 축돌기 운동에 기초해서 이루어졌다. 좌표계 2의 운동은 전자가 움직이고 원자핵은 정지한 좌표계(좌표계 1)의

운동이 전자 속도의 '로런츠 변환' 과정을 거쳐서 계산되었다.
—만약 전자가 가속된다면, 시간이 조금 더 지난 다음, 전자의 정지 좌표계(좌표계 3)에서 운동은 좌표계 1에서 운동에 가속도가 포함된 '로런츠 변환' 과정을 거쳐서 새로이 계산되었다.
—원자핵을 바깥에서 정지한 관측자가 바라보는 전자의 축돌기 운동은, 오랫동안 누적된 축돌기 운동으로 비쳐서 좌표계 2와 좌표계 3의 운동이 더해져서 나타나고, 회전축이 처음에는 좌표계 2에서 그리고 다음에는 좌표계 3에서 각각 정의돼야 했다.
—좌표계 2의 운동이 전자 속도에 가속도가 포함된 '로런츠 변환'과 함께 '회전 운동'[전자스핀 회전축이 순간적으로 궤도 평면에 수직인 축돌기 운동]으로 전환되어서, 좌표계 3의 운동은 첫 번째 어림값으로 계산되어 나타났고, 미세구조 에너지의 2배 문제도 고스란히 사라졌다.

좌표계 2의 운동이 좌표계 3의 운동으로 전환되는 과정['로런츠 변환'과 '회전 운동']에서 '회전 운동' 과정의 에너지는 '로런츠 변환' 과정의 -1/2배로 나타났고, 결국 2배는 1배로 축소되었다[2배(1-1/2)=1배].
…하이젠베르크가 처음 제기했던 2배 문제는 마침내 해결되었다!

그동안 많은 분란을 일으켰던, 미세구조 분광선에서 에너지 간격은 랑데 지-수가 2일 때 [177]"토마스 인수"라고 부르는 '절반(1/2)'으로 줄어들면서 마침내 "실제보다 2배로 늘어나게 만들었던 문제"가 완전히 해결되었다.[178] 전자스핀을 부정했던 완벽주의자 파울리에 대한 승리였다.

'토마스 축돌기'와 함께 전자스핀에 대한 네 번째 양자수의 도입으로 그동안 물리학을 뒤흔들었던 비정상 제이만 효과의 어려움이 말끔하게 해결되었고, 2배 문제도 없어졌다.

비정상 제이만 효과는 전자스핀과 자기장의 상호작용으로 나타났고, 미세구조는 전자스핀과 궤도 각운동량의 결합으로 분광선을 다시 여러 갈래로 갈라놓았다. 전자 궤도 각운동량과 자기장의 상호작용으로 나타났던 정상 제이만 효과와는 구별되었다.

조머펠트 상수로도 불리는 '미세구조 상수'는 기본 전하 입자들 사이에 작용하는 전자기력 세기를 나타내고, 그 크기는 1/137이며, 유효숫자 11자리 정밀도에서 측정되고 있다. 미세구조 상수는 "단위나 차원이 없어 보이는 임의 숫자"로서, 여러 물리학 분야에서 나타나며, 우주에서 가장 근본적인 상호작용 중 하나를 제어하는 것으로 보인다.

1920년부터 1922년까지 프랑크푸르트에서 슈테른과 게를라흐가 공간 양자화 실험을 진행하며 매일 랑데와 함께 지내는 동안, 막스 보른의 「이론물리학 연구소」 안에서뿐만 아니라 밖에서도 랑데의 '반정수' 연구에 주목했던 과학자는 없었다. 사실, '슈테른-게를라흐 실험'은 원자 각운동량의 공간 양자화가 실제로 존재하는지 여부를 확인하고, 양자론과 고전 물리학 사이에서 그 주체를 명확하게 결정하도록 설계되어 있었다.

공간 양자화가 시험될 각운동량은 바닥상태 은銀 원자의 '궤도 각운동량'으로서, 조머펠트 방식의 궤도 양자수가 1로 예상되어[현대 궤도 양자수보다 1만큼 더 큰], 시험될 자기 양자수를 어떤 과학자들은 +1, 0, -1로, 보어를 비롯한 다른 과학자들은 +1, -1로 예상했었다. 결국 슈테른-게를라흐 실험은 [179]"둘로 갈라진 공간 양자화"를 보였고, 보어를 비롯한 과학자들의 손을 들어 주었다. …결과적으로, "자연의 불가사의한 음모"란 의심을 낳았다.

47개의 전자가 원자핵을 둘러싼 은 원자에서, 이 중 '원자 속' 닫힌 궤도에 포함된 46개의 전자는 궤도 각운동량을 지니지 않고 스핀도 모두 짝을 이루어서, 총 각운동량이 0이고 따라서 아무런 자기 모멘트도 존재하지 않는다. 오로지 바깥 궤도에 마지막 남은 1개의 전자만 비록 궤도 각운동량은 0이지만, "고유한" 스핀을 가지고 있어서 자기 모멘트의 유일한 뿌리로서 남는다.

1926년에 르웰린 토마스가 전자스핀과 궤도 각운동량의 상호작용을 올바르게 계산해서 미세구조 분광선의 에너지 간격을 절반으로 줄인 뒤에도, 슈테른-게를라흐 실험에서 은銀 분자광선이 2개로 갈라져 나타난 '공간 양자화'는 여전히 새로운 설명을 기다리고 있었다.

1년이 더 지난 뒤에야, 1927년, 대학원생 세 명이 슈테른-게를라흐 실험을 재확인하는 작업에 나섰다. 스코틀랜드 애버딘 대학교 로날드 프레이저는 수소 원자들이 자기장을 통과하며 남긴 흔적으로부터 완전한 구 모양의 점을 관측했고, 미국 일리노이즈 대학교 토마스 어윈 핍스와 존 브래드쇼 테일러는 수소 원자 광선이 슈테른-게를라흐 실험의 입술 자국처럼 둘로 분리되어 나타난 모습을 다시 확인했다.

—자기장에서 수소 광선은 2개 선으로 나누어졌고, 분리된 간격이 1보어 마그네톤으로 계산되어서, 측정된 수소 원자 자기 모멘트는 전자스핀에서 생긴 결과였다.[180]
—수소 원자는 바닥상태에 있었고, [181]궤도 양자수[새로운 양자역학 궤도 양자수의 개념으로]가 0이어서 슈테른-게를라흐 실험은 순전히 '전자스핀' 양자화의 결과였다.[182]

스핀 크기를 빗변으로 정하고 자기장을 밑변으로 축소 또는 연장하여 그린 직각삼각형에서, 자기장 방향으로 비친 '스핀 공간 양자화'는 직각삼각형 밑변과 빗변의 비율, 즉 밑변/빗변의 크기로 표시된다. 전자스핀은 1/2이어서, 자기장에 대해 0도(평행) 또는 180도(반反평행)씩 기울어지고, 스핀 공간 양자화는 크기가 1/2 또는 -1/2로 나타난다. 만약 다른 입자의 스핀이 3/2이라면, 자기장에 대해 0도(평행), 70.528도, 109.472도, 180도(반反평행)씩 기울어지고, 스핀 공간 양자화는 크기가 각각 3/2, 1/2, -1/2, -3/2으로 비칠 것이다.

슈테른-게를라흐 실험은 처음 의도했던 '궤도 각운동량과 공간의 얽힘'은 아니었지만, 결국 '스핀 각운동량과 공간의 얽힘'으로서 '공간 양자화'를 측정했고, 더 중요하게도 '스핀'의 존재를 증명한 첫 번째 시험 사례가 되었다.

8.6 원자핵 스핀

1923년 1월, 오토 슈테른은 함부르크 대학교로 자리를 옮겼다. 한국 대학교 정교수에 해당하는 교수직(오르디나리우스)을 제안 받고서였다. 「물리화학 연구소」 소장도 겸하면서 크게 네 가지 실험을 구상했다. 그중 하나가 전자 자기 모멘트를 찾아냈던 분자광선을 사용해서 원자핵을 이루는 양성자와 중성자 자기 모멘트를 측정하는 실험이었다.
…전자스핀에 이어서 원자핵 스핀이 조사되었다.

현대 물리학의 관점에서 초정밀 측정이었다. 그리고 3년 후인 1926년에는 "분자광선 방법의 연구"라는 부제가 붙은 그의 뛰어난 30편 논문 중 183)첫 번째가 출판된다.

슈테른-게를라흐 실험이 전자의 자기 모멘트를 측정했던 것과 다르게, 이제는 원자핵을 구성하는 양성자와 중성자의 자기 모멘트를 측정하는 것이 그동안 달라진 차이였다. 양성자와 중성자는 스핀 양자수가 전자처럼 절반(1/2)이었고, 질량이 전자의 1,836배만큼 무거웠으며, 각운동량은 스핀 양자수와 축소 플랑크 상수를 곱해서 계산되었고, 자기 모멘트는 각운동량에 비례했지만, 질량에는 반비례했다.

1927년 9월, 미국 물리학자 이지도어 아이작 라비(1898-1988)는 새롭게 펼치고 있는 양자역학과 실험기술을 배우고, 대륙에서 거대 규모로 일어나고 있는 물리학의 맛과 멋을 습득하기 위해 컬럼비아 대학교에 박사학위 논문을 제출한 바로 다음날에 결혼한, 부인을 남기고 유럽을 향해서 떠났다. 대학교에서 1년 동안 제공한 "버나드 장학금"을 받고서였다. 그는 유럽을 방문해서 에르빈 슈뢰딩거, 닐스 보어, 막스 보른, 오토 슈테른, 베르너 하이젠베르크, 볼프강 파울리, 아르놀트 조머펠트, 폴 디랙을 만났다. 그의 부인 헬렌도 런던에서 재회했다. 그는 "그들과 만나면서, 물리학이 무엇이어야 하는지, 연구를 이끄는 데 필요한 미각, 통찰력, 기준, 좋은 것을 느끼는 감정까지 알게 되었다."라고 회고했다.

유럽에 유학 온 라비는 닐스 보어의 추천을 받아서 함부르크 대학교에 도착했다. 그는 파울리 연구실이 있는 건물에서 영어로 대화하는 물리학자들을 만났다. 슈테른-게를라흐 실험을 재확인했던 일리노이즈 대학교 출신 존 브레드쇼 테일러와 애버딘 대학교 출신 로날드 프레이저였다. 그가 함부르크에서 해야 할 첫 번째 일은 파울리 교수와 함께 이론물리학을 연구하는 것이었다. 하지만 라비는 슈테른 실험실을 자주 방문하면서, 슈테른-게를라흐 실험에서 사용된 '불균일' 자기장 대신 '균일' 자기장으로도 분자광선 성분들을 분리해낼 수 있다는 것을 깨닫게 되었다. 원자들이 균일한 자기장에서 비스듬히 경사각을 이루며 빗겨 지나가고, 자기磁氣 에너지 손실 또는 획득으로 속도가 변하면서, 마치 빛이 다른 매질을 지나갈 때 굴절하는(꺾이는) 모습과 같이, 휘어져 경로를 벗어난다는 사실이었다. 그는 균일한 자기장을 사용하여 포타슘 원자의 자기 모멘트를 5퍼센트 오차 범위 내에서 184)측정했다.

함부르크에서 초기에 슈테른 실험실은 「물리학 연구소」 지하에서 네 개 방으로 꾸며진 보통 규모였고, 로스토크에서부터 함께 연구한 사강사 임마뉴엘 에스터만(1900-1973)을 비롯하여, 프리드리히 크나우어, 그리고 여러 연구 장학생과 박사과정 학생들로 항상 바쁘게 움직이는 장소였다. 그의 실험실은 시대에 앞선 연구로 곧 세계로부터 명성을 얻었고 원자, 분자, 원자핵 물리학 분야에서 국제적인 연구 중심지가 되었다.

라비는 슈테른의 「물리학 연구소」에서 벌어지는 일상생활을 185)기억했다.

"...... 테일러와 함께 실험실을 사용하며, 그에게서 분자광선 기술을 배우고 있었다. 슈테른 교수는 거의 보기 힘들었다. 발터 고든이 항상 있었고, 나중에 요르단이 왔으며, 렌츠 교수가 계셨다. 파울리 교수도 계셨고, 보어 교수와 보른 교수는 가끔 방문했다. 그곳에는 사람들이 항상 드나들었다. 물론 슈테른 교수는 만나기 힘들었지만 언제나 계셨다. 세미나는 매우 훌륭했고, 여러 사람이 다른 생각을 갖고 참석한다는 점에서 콜로퀴움은 매우 흥미롭고, 수준이 높았다. 렌츠 교수에게서는 매우 영리하고 날카롭다는 인상을 받았다. 그는 매듭을 매는 일보다 구성하는 일을 잘 하셨다. 슈테른 교수는 놀라운 물리학 직관력과 견해를 보였고, 파울리 교수는 엄청나게 깊은 지식을 지니고 계셨다."

뮌헨 대학교에서 아르놀트 조머펠트의 학생이었던 독일 물리학자 빌헬름 렌츠(1888-1957)는 슈테른이 로스토크 대학교 부교수로 옮길 때 전임자였고, 함부르크 대학교에서 볼프강 파울리, 에른스트 이징(1900-1998), 한스 옌젠(1907-1973)과 같이 젊은 물리학자들로 이루어진 「이론물리학 연구소」를 이끌고 있었다. [볼프강 파울리는 1945년에 "밀어내기 원리의 발견"으로, 한스 옌젠은 마리아 궤퍼트-메이어와 함께 1963년에 "원자핵 껍질 구조에 관련된 발견"으로 노벨 물리학상을 받는다].

라비는 파울리와 슈테른의 관계를 얘기했다.

"그 당시에 함부르크 대학교는 세계에서 가장 앞선 물리학 중심지 중 하나였다. 실험물리학과 이론물리학의 긴밀한 협력이 슈테른과 파울리 사이에서 매우 잘 이루어지고 있었다. 예를 들면, 슈테른의 실험은 금속에서 자유 전자에 대한 파울리의 자기磁氣 이론에 매우 중요했고, 거꾸로 파울리의 이론 연구는 슈테른의 실험에 큰 영향을 미쳤다. 슈테른과 파울리의 존재는 많은 저명한 방문객을 함부르크로 끌어들였다. 보어와 에렌페스트도 잦은 방문객이었다."

슈테른은 항상 파울리와 함께 점심을 먹으며, "엔트로피는 무엇인가?", "수소 분자의 대칭성을 어떻게 설명할 것인가?", 그리고 "영점 에너지의 문제는?"과 같은 과학 쟁점들을 논의했다. 슈테른은 나중에 따로 가진 취리히 인터뷰에서 "파울리는 말도 안 되는 그의 생각을 실험하게끔 만드는 사람이었다."라고 말했다.

슈테른과 파울리의 점심 식사는 파울리가 취리히 연방 공과대학교로 자리를 옮기면서 1928년에 돌연히 중단되었다. 그러나 그들의 친구 관계는 그 후에도 계속되었다.

슈테른은 파울리가 실험실을 방문할 때마다 자주 실험 장비가 고장 나 있는 것을 목격했고, 그것이 파울리 때문이라고 생각했다. 그 이후로부터 특정한[실험에 문외한인] 사람이 근처에 있을 때 장비에서 중대한 결함이 발생하는 현상에 "파울리 효과"라는 새로운 용어가 탄생했다.

그 당시 슈테른은 자기 모멘트가 질량에 반비례해서, 전자보다 약 [186]2천 배나 무거운 양성자에 대해 그만큼 줄어들 수밖에 없다고 예상했다. 제이만 효과 실험처럼 분광선을 사용하여 양성자나 중성자의 자기 모멘트를 측정한다는 것은 실제로 불가능했다. 분광선 분해능을 전자 경우보다 약 2천 배 이상 늘려야 하기 때문이었다.[187]

'분광선'은 들뜬상태에서 바닥상태로 이동하며 빛을 방출하는 원자 수명이 보통 1억 분의 1초 정도로 매우 짧지만, '분자광선'은 자기장을 통과하는 시간이 약 1만 분의 1초 정도여서 훨씬 더 오랫동안 측정할 수 있다는 장점을 갖추고 있었다. 분자 속도가 1초당 1킬로미터이고 자석 길이가 10센티미터로 가정된다면, 측정 시간은 분광선보다 1만 배로 늘어나서, 자기 모멘트가 1만 분의 1로 줄어들더라도 '분자광선' 측정은 여전히 가능했다.

양성자 자기 모멘트 실험은 전자스핀을 측정한 슈테른-게를라흐 실험과 기본적으로 동일했다.

…실험에서 가장 중요한 요소는 양성자 자기 모멘트의 신호가 너무 약해서 관측이 어려웠던 만큼, 불균일한 자기장에서 분자광선을 한쪽으로 크게 벗어나서 휘어지게 만드는 일이었다.

분자광선을 모아서 곧게 뻗어 나가도록 '사각 실틈'은 훨씬 더 좁게 만들어야 했고, 자기장은 더 강해야 했으며, 분자들을 찾아내는 검출기와 깨끗한 진공 장치가 준비돼야 했다.

너무 좁은 사각 실틈을 사용하는 데도 문제는 있었다. 마치 파동이 시작하는 것처럼 '에돌이(또는 회절)'가 일어나서 광선이 넓게 퍼져 나가기 때문에, 자기장이 분자광선을 휘어지게 만드는 효과가 에돌이에 이어서 나타나는 방해보다 더 커야 한다는 점이 고려돼야만 했다. 오차를 줄이기 위해서는, 광선이 에돌이 방해보다 훨씬 더 크게 휘어져 나타나도록 사각 실틈 폭을 적당히 줄이고, 통과하는 거리를 충분히 길게 늘려 주어야 했다. ['에돌이'는, 광선이 실틈 가장자리를 통과할 때 곧게 나아가지 않고 둥글게 퍼져 돌아나간다, 라는 뜻을 갖고 있다].

그러나 정작 문제가 되었던 것은 실험 장치의 향상보다도 실험 내용에 있었다. 자기 모멘트를 측정하기 위해서 순전히 양성자로만 구성된 광선으로는 실험이 불가능하다는 점이었다.
…자기장에서 한쪽으로 휘어지는 편향이 양성자 '자기 모멘트'와 자기장 기울기의 작용보다, '전하'와 자기장이 만드는 로런츠 힘에서 더 크게 나타나서, 자기 모멘트보다 전하의 측정이 오히려 강조되기 때문이었다.

그렇다고 수소 원자로만 이루어진 광선으로 실험이 치러질 수도 없었다. 수소 원자 속 전자의 자기 모멘트가 양성자보다 훨씬 더 커서 자기장에서 한쪽으로 치우치는 휘어짐도 그만큼 더 크게 나타났고, 양성자의 자기 모멘트는 전자에 완전히 가려질 수밖에 없었다. 양성자 자기 모멘트의 측정은 마치 불가능해 보였다!

슈테른은 양성자 자기 모멘트를 관측하기 위해서 수소 원자 대신 수소 분자를 사용하는 방법을 떠올렸다. 자기장 기울기와 분자광선의 진행 거리를 크게 늘리면 실험은 가능해 보였다. 은銀 분자광선은 원자로 구성되어 비교적 간단하게 측정되었지만, 2개 수소 원자가 결합해서 이루어진 수소 분자광선은 훨씬 더 어렵고 복잡한 실험일 수밖에 없었다.

수소 분자광선 실험은 대부분 낮은 온도에서 진행되었다. 수소 분자의 자기 모멘트는 양성자 2개, 그리고 거의 비슷한 규모의 분자 회전으로 구분된다. 수소 분자에서, 원자핵 자기 모멘트는 순전히 양성자 스핀에서, 분자 자기 모멘트는 질량 중심에 관한 양성자 회전에서 일어난다.

수소 분자에서 스핀 양자수가 절반(1/2)인 양성자 2개가 "나란히(대칭으로)" 결합하여[1/2+1/2=1], 원자핵 스핀 양자수는 1이 되고 원자핵 자기 양자수가 +1, 0, -1이어서 '세 겹 상태'가 나타난다. 반면에 양성자 2개가 "반대로"(반反대칭) 결합하여(1/2-1/2=0), 원자핵 스핀 양자수는 0인 '홑겹상태'가 나타나고, 분자광선은 자기장에서 휘어지지 않고 곧게 직선으로 나아간다.

수소 분자에서, 원자핵 스핀 양자수가 0(반대칭)인 경우에 분자 양자수는 0, 2, 4,......처럼 짝수로 나타나고, 원자핵 스핀 양자수가 1(대칭)인 경우에 분자 양자수는 1, 3, 5,......와 같이 홀수로 나타나서, 두 가지 종류의 수소가 자연에 존재한다.

…원자핵 스핀 양자수가 0(반대칭)이고 분자 양자수가 짝수인 수소는 '비정규 수소', 원자핵 스핀 양자수가 1(대칭)이고 분자 양자수가 홀수인 수소는 '정규 수소'라고 불린다.

상온(섭씨 27도)에서 '일반 수소'는 기체이고, 3대1의 비율로 원자핵 스핀 양자수 1과 0의 정규 수소와 비정규 수소가 함께 섞여 있다.

절대온도 20도(섭씨 -253도)보다 낮은 온도에서는 바닥상태, 즉 분자 양자수가 0인 '비정규 수소'가 대부분을 차지하고, 온도가 증가하면서 '정규 수소'가 0도에서 0퍼센트로부터 상온에서 75퍼센트까지 점차 증가한다. 액화공기 온도(섭씨 -195도) 근처에서는 정규와 비정규 수소의 비율이 거의 1 대 1이고, 상온에서 수소는 분자 양자수가 거의 0, 1, 2인 상태에서 존재한다.

상온에서 분자광선은 자기장을 통과하여 검출기에 도착하면서 중앙(원자핵 자기 양자수 0)과 그 양쪽(원자핵 자기 양자수 1, -1)에 각각 3개씩(분자 자기 양자수 1, 0, -1) 총 9곳에 수소 분자들을 쌓아 올린다. 분자광선은 중앙에서 1/3[정규 수소(3/4)의 1/9과 비정규 수소(1/4)를 합쳐서], 나머지 8곳에서는 각각 1/12씩 상대적인 광선 세기를 나타낸다. 자기장에서 휘어짐 없이 곧게 나아가서 중앙에 쌓인 분자들은 원자핵 자기 양자수가 0인 분자광선[정규 수소에서 원자핵 자기 양자수가 0인 성분과 비정규 수소 전체]의 성분들이 모여 남긴 흔적이다.

1932년 11월, 프리슈와 슈테론은 양성자 자기 모멘트의 실험 준비를 모두 마쳤다. 그들의 실험장치는 현대 실험장치와 비교해도 컴퓨터와 반도체 부품을 제외하면 크게 뒤떨어지지 않았다.
—분자광선 시작점에서 검출기까지 거리가 약 30센티미터였고[슈테른-게를라흐 실험의 3배], 전자석 양 극간 간격은 0.5에서 1 밀리미터로 늘렸다. 자기장 기울기가 1센티미터당 2.2테슬러였고, 진공

은 1분당 1억 분의 1토르 이상 변화하지 않도록 조절되었다.

188)분자광선이 통과하는 사각 실틈 폭은 광선 크기를 결정하는 중요한 요소였다. 사각 실틈 폭이 너무 좁으면 광선이 넓게 퍼져 나가서, 분자들이 쌓여 형성된 성분들의 크기가 그들 간격보다 더 커지며 구분이 어려웠다. 자기 모멘트의 휘어지는 정도는 통과 거리 또는 시간 '제곱'에 비례해서, 에돌이로부터 생긴 방해보다 자기장에서 광선이 더 크게 휘어지도록 통과 거리를 길게 연장할 필요가 있었다.

실험은 분자 양자수가 2인 '비정규 수소'의 분자 자기 모멘트를 먼저 측정한 다음, 이어서 '정규 수소'의 원자핵 자기 모멘트를 측정했다. 실험 결과는 예상했던 것과 매우 다르게 나왔다. 그 당시에 주위로부터 '슈테른의 원자핵 자기 모멘트 실험'이 시간 낭비일 뿐이라는 비난이 들끓었고, 중단되기를 권고받기도 했다. 자기 모멘트가 질량에 반비례해서, 디랙 방정식으로부터 유도된 양성자 수치처럼 "1원자핵 마그네톤일 것이다"라는 것이 파울리를 비롯한 대부분 이론물리학자들의 견해였다.

1933년 7월 12일, 임마뉴엘 에스터만과 오토 슈테른이 제출한 189)논문에 따르면, 측정된 수소의 분자 자기 모멘트는 0.85원자핵 마그네톤이었고, 양성자 자기 모멘트는 2.5원자핵 마그네톤이었다. …'원자핵 마그네톤'은 자기 모멘트 단위로서, 전자에 사용된 '보어 마그네톤'과 비교하면, 즉 원자핵 마그네톤과 보어 마그네톤의 비율은 전자와 양성자의 질량 비율로서 1/1836과 같았다.

1934년 5월 10일, 나치 정권의 억압으로부터 독일을 떠나 미국에 정착하면서, 에스터만과 슈테른은 『중수소 원자핵 자기 모멘트』의 [190]논문을 미국 논문집 〈물리학 리뷰〉에서 발표했다.
—중수소 원자핵 자기 모멘트는 0.5와 1.0 원자핵 마그네톤 사이였다.
—중수소 원자핵이 양성자 1개와 중성자 1개로 이루어졌다고 가정되었고, 이미 측정된 양성자 자기 모멘트가 2.5원자핵 마그네톤이어서, 중성자 자기 모멘트는 -1.5(1.0-2.5)와 -2.0(0.5-2.5) 원자핵 마그네톤 사이의 값으로 추정되었다.

실험 결과는 예상과 많이 다르게 나왔다. 양성자는 거의 세 배였고, 중성자는 오히려 음수였다. 결과로 비춰 볼 때 양성자와 중성자는 전자와 다르게 기본 입자가 아니었다. 기본입자는 전하와 스핀을 모두 가져서, 양성자는 1원자핵 마그네톤이고 중성자는 0의 수치를 가져야만 했다. 양성자와 중성자는 기본 입자가 아니고, 대신 내부 구조물들을 별도로 그 안에 담고 있다는 사실이 30년 더 지나서야 알려진다. 오늘날 측정된 원자핵 자기 모멘트는 수소 분자, 양성자, 중성자가 각각 0.88291, 2.7896, -1.9130 원자핵 마그네톤이고, 슈테른의 양성자 측정값과 약 10퍼센트 차이를 보인다.

1943년, 오토 슈테른은 양성자 자기 모멘트의 측정으로 노벨 물리학상 수상자로 선정되었지만 제2차 세계대전 때문에 수상식이 1년 지연되었다. 1944년 12월 10일, 미국 뉴욕에 있는 왈도르프 아스토리아 호텔에서, 슈테른은 노벨 물리학상을 받았다. 1922년에 진행된 슈테른-게를라흐 실험에서 전자스핀이 처음으로 관측되었지만, 전자스핀 이론의 부재로 확인이 연기되었던 것도 이유였다. 1900년부터 1950년까지 노벨상 후보자들 가운데, 슈테른은 무려 81회에 걸쳐서 후보자로 추천되었다. 추천 횟수로만 보면, 막스 플랑크보다 7회가 많았고, 알베르트 아인슈타인보다 15회가 더 많았다.

발터 게를라흐는 독일 나치 정부의 '원자핵 무기 계획'에 참여했던 과학자 10명에 포함되었다. 그는 전쟁 후 1945년 7월부터 약 6개월 동안 진행된 "엡실론 작전"이라는 연합군 계획 하에서 영국 케임브리지 근처 수용소에 감금되어 독일 "원자핵 무기 계획"에 관련해서 심문을 받았다. '원자핵 무기 계획' 명단에는 오토 한, 베르너 하이젠베르크, 막스 폰 라우에가 포함돼 있었다. 전쟁 후에, 히틀러를 크게 지지했었던 83세 필리프 레나르트의 이름이 하이델베르크 대학교 은퇴교수 명단에서 삭제되었고, 슈타르크는 전범재판에서 4년 징역형을 선고받았지만 나중에 집행유예로 풀려났다.

1943년 노벨 물리학상을 슈테른이 혼자서 받았던 것도 게를라흐가 1937년부터 1945년까지 빌헬름 카이저 연구협회 위원이었던 점이 반영되었기 때문일 것이다.

"노벨상 위원회에 따르면, 슈테른의 노벨 물리학상은 '분자광선 방법 개발과 양성자 자기 모멘트 발견'이 과학 발전에 기여한 점이 인정되어서 수상受賞이 결정되었다."

슈테른-게를라흐 실험에서 전자스핀을 발견한 것에 대한 인용은 전혀 언급되지 않았다. 게를라흐는 슈테른과 함께 슈테른-게를라흐 실험의 노벨 물리학상 후보자로 31회에 걸쳐서 추천을 받았다.

전쟁이 끝난 후, 게를라흐는 뮌헨 대학교 교수를 지냈고, 베를린에 있던 「빌헬름 카이저 연구협회」를 기반으로 새로이 조직된 자연과학 분야의 「막스 플랑크 연구협회」와 응용과학 분야의 「프라운호퍼 연구협회」를 창단하는 일에 앞장섰다. 게를라흐는 「프라운호퍼 연구협회」 초대 협회장을 지냈다. 2023년 현재 「막스 플랑크 연구협회」는 85개 연구소, 「프라운호퍼 연구협회」는 76개 연구소를 거느리고 있다.

1957년 4월 12일, 독일 연방 공화국(1990년 재통일 전 서독西獨) 원자핵 물리학자 18명으로 구성된 "괴팅겐 18인"은 콘라트 아데나우어 수상과 프란츠 요제프 슈트라우스 국방 장관이 창설한 "서독 연방군"과 미국이 배치한 "전략 핵무기"를 통한 재무장에 반대해서 "괴팅겐 선언"에 서명했고, 그중 한 명이 게를라흐였다. 18명 명단에는 막스 보른, 오토 한, 베르너 하이젠베르크, 한스 코프만, 막스 폰 라우에, 볼프강 파울리가 포함되었다. 괴팅겐 18인이라는 이름이 붙여진 이유는 서명자들 중에 많은 과학자들이 괴팅겐에 관련되었고, 19세기 초 하노버 왕 에른스트 아우구스트 1세가 자유주의 헌법을 폐지한 것에 반대했던 "괴팅겐 7인"을 비유해서 정해졌다.

독일 나치 정권의 세력 장악으로, 1933년 10월에 슈테른과 그의 동료들이 미국으로 망명하면서, 그 이후 과학 연구 흐름도 크게 바뀌었다. 영국과 독일을 중심으로 유럽에서 진행되었던 연구는 대거 미국으로 몰려든 유럽 과학자들과 그들이 키워낸 제자들이 새로운 학문인 양자역학과 원자핵 물리학을 발전시키며, 빠른 속도로 다른 분야와 학문으로 퍼져나가기 시작했다.

09 원자를 만지다

"하나는 이곳에서, 그리고 다른 하나는 저곳에서 광자가 나와서 '간섭'이 일어나지만, 어떤 것이 어디에서 나오는지에 대해 우리는 대답할 수가 없다."
-레오나르트 만델 (미국 물리학자, 1983년).[191]

1928년 1월 21일, 아인슈타인은 슈테른에게 보낸 [192]편지에서 '공간 양자화'의 추가적인 실험에 관하여 새롭게 떠오른 그의 생각을 적었다. 아인슈타인은 그 당시에 "나는 상대론보다 오히려 양자론에 내 두뇌를 더 많이 쓰고 있는 것 같다."라고 익살스럽게 농담할 정도로 공간 양자화에 대한 생각에 빠져 있었다. 그는 즐겨 사용하던 상상력의 '사고思考 실험'을, 실제로 원자광선 실험을 통해서 원자스핀에 시험해 보고 싶었다. 편지에는 손으로 직접 그린 실험 장치와 함께, 지금도 스핀이 자기장에 평행 또는 반反평행하게 정렬한 모습으로 표시될 때 사용되는 화살표 기호(↑ 또는 ↓)를 포함하여 그의 취지가 상세히 담겨 있었다.
- 학과 양자 세미나에서 두 가지 질문이 나왔습니다. 자기장에서 원자광선의 모습에 관련된 것이었습니다. 슈테른-게를라흐 실험과도 일치하는 내용이어서 이미 비슷한 실험을 마쳤을는지도 모르겠지만, 만약 그렇지 않다면 내 제안이 여러분 연구에 도움이 될 것입니다.
- 질문 1. 수직 방향의 자기장에서 원자스핀이 위쪽(↑) 또는 아래

쪽(↓)을 향하고, 자기장 방향이 천천히 변하고 있다고 가정해 보자. 원자스핀은 자기장 방향을 따라서 돌아서겠는가?
시험: 자기장이 반대 방향을 향하고 불균일한 두 개 자석을 원자광선이 지나가도록 준비한다. 그리고 원자스핀이 첫 번째 자기장에서 위 방향으로 휘어져 비껴나가며 정렬된다고 가정해 보자. 만약 첫 번째 자기장을 지난 다음 원자스핀이 다시 [193]'거꾸로 뒤집힌다면', 두 번째 자기장(첫 번째와 반대 방향)을 통과하는 원자광선은 두 개의 자기장이 마치 한 방향을 향하는 것처럼 여전히 위 방향으로 휘어져 비껴나가야만 한다. 휘어져 비껴나간 효과가 자기장 세기에 비례하여 증가하는 점을 감안한다면 매우 역설적이다!
-질문 2. 자기장은 원자스핀 방향을 결정하고, 자기장 기울기는 원자광선이 휘어져 비껴나간 편차 크기를 결정한다고 우리는 추측하고 있다. 자기장과 자기장 기울기는 서로 독립된 양이지만, 자기장 기울기는 고정되어 있고, 자기장은 방향만 변하고 광선의 휘어지는 편차에는 영향을 미치지 않을 만큼 매우 약하다고 가정해 보자. 그렇다면 약한 자기장의 방향만 임의로 변경하더라도 광선의 휘어지는 편차는 완전히 달라져야만 한다. 이러한 가정은 역설적이지만, 현재 우리가 갖고 있는 견해이기도 하다. 그리고 두 자석들 사이에 전류가 흐르는 도선을 놓아서 시간이 지남에 따라 변하는 자기장을 만들 수만 있다면 여러 면에서 실험은 편리할 것이다.
-위에서 언급한 두 가지 질문의 해답을 이미 갖고 있다면, 나에게 알려 주기 바랍니다. 두 가지 질문의 실험은 꽤 가치가 있을 것입니다.

아인슈타인은 자기장이 서로 반대로 향하고 불균일한[자기장이 거리에 따라 변하는] 두 자석 사이에서 만약 스핀이 거꾸로 뒤집힌다면, 두 번째 자기장은 원자들을 광선의 원래 궤도로부터 더 멀리 밀어낸다는 사실을 일찍부터 인식하고 있었다. 그러나 이 사실은 또한 스핀이 거꾸로 뒤집히지 않는다면, 원자광선은 두 번째 자기장을 통과하여 두 개의 자기장 없이 곧게 직진하여 도달하는 곳과 똑같은 한 점에 다시 모아질 수 있다는 의미이기도 했다. 그러므로 스핀 뒤집기는 원래 방향을 향해 나아가는 원자광선의 세기를 "줄이거나 또는 늘이는" 효과를 자아낸다.

9.1 공간 양자화 시험

1931년, 함부르크에서 분자광선을 실험 중이던 오토 슈테른은, 자기장에서 특정한 방향으로 정렬된 포타슘 원자들에 대해서, 자기장 방향을 갑자기 반대로 뒤집어 놓으면 자기 모멘트도 반대로 정렬하기 위해 '뒤집기' 과정을 거치는지에 의문을 품었다. [자기 모멘트는 스핀 각운동량에 비례한다].
"자기장에 묶여 이미 어떤 특정한 방향으로 '공간 양자화'된 원자가 그 상태에서 벗어날 수 있을까?"
"원자는 이미 정렬된 방향을 바꿀 수 있을까?"

4년 전 슈테른에게 보낸 편지에서 아인슈타인이 질문한 내용이었다. 슈테른과 토마스 핍스는 두 개의 자석과, 그 사이에 작은 자석 3개를 120도씩 각도가 이루어지게 놓아서, 원자스핀들이 통과할 때 0도에서 360도까지 '뒤집기'하도록 '3단계' 실험 장치를 설계했다. 특히, 첫 번째 자석 뒤에는 작은 실틈 한 개를 설치해서 원자광선의 일부만 통과했고, 한 방향으로만 원자스핀들이 정렬되도록 실험을 구성했다. 그렇지만 포타슘 원자를 '뒤집기'하는 데는 성공하지 못했다.[194] 자석들 사이에서 자기장을 충분히 차단하지 않았던 것이 원인이었다. [1927년에 일리노이즈 대학교 대학원생 토마스 어윈 핍스와 존 브래드쇼 테일러는 슈테른-게를라흐 실험을 재확인했었다].

1년 후, 구겐하임 장학생 토마스 핍스는 미국으로 돌아갔고, 오토 로베르트 프리슈(1904-1979)와 에밀로 세그레(1905-1989)가 슈테른[실제로는 아인슈타인]의 생각을 실험으로 옮겼다. 그들은 원자들이 통과하는 자기장을 갑자기 다른 방향으로 향하게 만들어서, 새로운 자기장에서 일어날 변화에 관련된 질문을 던졌다.
"새로운 방향으로 전환된 자기장에서 원자들은 원래 스핀 방향을 그대로 유지할까, 아니면 새로운 자기장을 따라서 돌아설까?"

그들은 아인슈타인이 편지에서 제안했던 '3단계' 장치처럼, 그러나 자기장이 같은 방향을 향하며 불균일하고 시간이 지남에 따라 변하지 않는(정지 자기장) 자석 2개와 그 사이에 교류 전류가 흐르는 도선을 일렬로 배치했다. 도선은 분자광선에 수직인 방향으로 놓였고, 교류 전류가 공급되어 자기장이 계속해서 변하며 정지 자기장과 더해지게 설계되었다. 두 정지(불균일) 자기장 사이에 교류 전류의 도선을 삽입해서 유도된 '회전' 자기장을, 원자스핀들이 "느끼게 또는 감지하게' 만든 아인슈타인의 "착상"은 매우 혁신적이었다.

첫 번째 자기장에서 원자스핀들이 공간 양자화 되었고, 동역학적으로 분리되어 나누어졌다. 그리고 원자스핀들은 두 자석 사이 회전 자기장에서 뒤섞였고, 이어서 두 번째 자기장에서 '다시 정렬'되어 측정되었다.

취리히 연방 공과대학교에서 볼프강 파울리 교수의 박사과정 학생인 파울 구팅거(1908-1955)는 양자역학 방법으로 원자스핀 뒤집기 확률을 [195]계산했다. 토마스 핍스가 사용했던 실험 장치에 근거해서 원자스핀의 뒤집기 확률은 1가우스의 자기장과 1밀리미터의 자석 길이에 대해 약 6퍼센트 정도였다.

프리슈와 세그레는 도선에 교류 전류가 공급되지 않았을 때(0암페어)와 공급되었을 때(0.1암페어) 포타슘 원자광선을 두 번째 자기장 뒤에서 각각 [196]비교했다. 교류 전류가 공급되지 않았을 때(0암페어)는 스핀 뒤집기가 없어서 자기 모멘트 봉우리(+1/2 또는 -1/2)가 1개만 나타났고, 교류 전류가 0.1암페어였을 때는 회전 자기장이 유도되어 자기 모멘트 봉우리(+1/2와 -1/2) 2개가 서로 일정하게 떨어져서 나타났다. 스핀 뒤집기 확률은 회전 자기장의 세부 사항(전류 세기, 원자광선 속도, 회전 자기장에서 통과 시간)에 따라 달라졌지만, 실험과 이론은 큰 차이를 보였다. 뒤집기 확률은 [197]이론에서 교류 전류가 증가하며 100퍼센트까지 늘어났지만, 실험에서는 도선 전류가 0.1암페어일 때 단지 25퍼센트인 것으로 나타났다.

프리슈-세그레 실험은 원자스핀들이 첫 번째 자기장에서 정렬될 확률이, 그 이전 상태와 전혀 상관이 없다는 것을 보여 주었다. 원자스핀들이 첫 번째 자기장에 들어오기 전 공간에서 "아무렇게나 무작위하게" 놓인다면, 들어온 다음에는 원자광선이 스핀들을 쫓아 50퍼센트씩 나눠진다. "만약 아무렇게나 무작위하게" 놓이지 않는다면, 회전 자기장과 그리고 두 번째 자기장을 지난 다음에 두 겹선 자기 모멘트(+1/2와 -1/2)의 비율은 달라진다.

프리슈와 세그레는 실험 결과에 대해 결론을 내렸다.

—자기장이 같은 방향을 향하도록 두 자석이 나란히 배치되고, 삽입된 도선에 전류가 흐르지 않는다면, 원자스핀들은 첫 번째 자기장에서 정렬된 상태를 두 번째 자기장을 지나간 후에도 100퍼센트 그대로 유지한다.

—자기장을 지나간 후에 +1/2(↑) 또는 -1/2(↓)의 스핀들이 발견될 확률은, 원자들이 그 자기장에 들어가기 전에 가졌던 스핀 방향에 따라 달라진다.

—만약 첫 번째 자기장에 대해 두 번째 자기장의 방향이 바뀐다면, 두 번째 자기장 다음에 검출기에서 보이는 두 겹 구조(+1/2와 -1/2)는 전적으로 두 번째 자기장의 방향을 따라 나타난다.

—검출기에서 보이는 두 겹 구조의 스펙트럼은 공간 양자화가 첫 번째 또는 두 번째 자기장 안에서가 아니라 이미 들어가기 전, 자석 입구에서부터 일어난다는 것을 암시한다. [자석에서 원자스핀들의 전이 시간은 원자광선의 통과 시간에 비해 매우 짧다].

프리슈-세그레 실험은 두 스핀 상태(±1/2)의 "중첩"이 실험 결과에 영향을 미치는지의 질문에 대해 대답을 내놓았을까?

프리슈와 세그레는 첫 번째 자석 바로 뒤에 좁은 실틈을 놓아서 한 스핀 상태(+1/2 또는 -1/2)를 선택했고, 그것을 다시 자기장 방향이 동일한 두 번째 자석에 집어넣었다. 두 번째 자석에 들어간 원자는 스핀 방향의 정보를 이미 지니고 있었고 동일한 자기장에서 그 정보를 그대로 운반했던 셈이다. 만약 두 번째 자기장에서 중첩이 일어났다면, 낱개 원자는 '두 스핀' 상태들(±1/2)로 이루어진, 파동 묶음의 '중첩' 상태에 있어야만 했다. 그래서 두 스핀 상태들은 함께 놓여 서로 '간섭'을 일으키고 검출기에서 '두 겹' 봉우리 구조를 항상 만들었어야 했다. 하지만 실험은 오직 한 스핀 상태만 선택되어서 두 번째 자기장 뒤에서 관측된다는 것을 명확하게 보여 주었다.

…프리슈-세그레 실험에서 낱개 원자들은 수직 운동량이 측정되어, 정해진 '고전역학 경로'를 좇아서 움직였다.

슈테른-게를라흐 실험에서처럼 원자들이 자기장을 통과하는 과정은 두 스핀 상태들로 이루어진 파동 묶음의 '중첩'에서 비롯된 경로인지, 혹은 '고전역학 경로'인지에 관련지어서 많은 논쟁이 오랫동안 지속되었다. 198)그러나 그 두 가지 견해는 원자를 검출한 후에 양자 측정을 진행 시간의 방향에 따라서, "전진적" 관찰로 또는 "후진적"(사후事後 추정에 의한) 관찰로 볼 것인지 차이가 갈라놓기도 한다. '전진적' 관찰에서 처음 스핀 상태는 일반적으로 알려지지 않는다. 두 스핀 상태들의 파동 묶음이 중첩 상태에 놓이고 서로 간섭을 일으킨다. '후진적' 관찰에서 낱개 원자들은 수직 운동량이 측정되고 경로가 추적 그리고 확인되어서 스핀 상태(방향)가 미루어 판정된다.

1928년 1월 28일에 아인슈타인이 슈테른에게 보냈던 "원자스핀의 뒤집기"에 관련된 편지는 사실 거슬러 올라가면, 1927년 10월 24일부터 29일까지 브뤼셀에서 『전자와 광자』의 주제로 열렸던 〈제5차 솔베이 회의〉에서 그 동기를 찾을 수 있다. [199]플랑크, 아인슈타인, 보어로부터 드 브로이, 하이젠베르크, 슈뢰딩거, 디랙에 이르기까지 양자론의 창시자들이 모두 한 자리에 모였었다. 참석자 29명 중 17명은 이미 또는 나중에 노벨 물리학상 또는 화학상을 받았다.

[200]회의 기간 동안 아인슈타인은 '파동함수 절대값 제곱'으로 나타난 '양자역학 확률'에 이의를 제기한 것을 제외하고는 침묵에 빠져 있었다. 공식적인 회의장만 논의 장소는 아니었다. 회의 참가자들은 모두 같은 호텔에 머물렀고, 아인슈타인은 호텔 식당에서 훨씬 더 활기에 차 있었다. 그는 아침 식사 때 내려와 새로운 양자론에 우려를 나타냈고, 매번 매우 "아름다운" 실험을 발명해 내곤 했지만 다른 사람들이 보기에는 작동되지 않는 실험이었다. 그 자리에 있던 파울리와 하이젠베르크는 커다란 반응 없이 "아, 그렇군요....... 예, 그렇군요......"라며 고개를 끄덕일 뿐이었다. 보어는 한편 조심스럽게 숙고했고, 저녁 식사 때 모두가 모인 자리에서 명료하게 그 사안을 마무리 지었다.

회의는 루이 드 브로이, 막스 보른과 베르너 하이젠베르크, 슈뢰딩거가 발표한 새로운 양자론 논문들의 순서로 주도되었다. 회의 후 저녁 시간에 아인슈타인은 보어와 하이젠베르크에게 '불확정성 원리'의 오류를 찾아보라고 제안하기도 했다. 회의에서 일어났던 일들은 주로 보어, 보른, 하이젠베르크와 같은 양자론 승리자들에게서 전해졌지만, 아인슈타인은 그가 말한 중요한 요점을 그들이 건너뛰었거나 무시했다고 불평했다.

보어는 전자들과 같은 실체들이 관측되지 않는다면 확률로만 나타낼 수 있다고 주장했던 반면에, 아인슈타인은 양자역학이 통계 이론으로는 훌륭하지만 물리 현실을 완전하게 묘사하지 않는다면서,

"신은 주사위를 던지지 않는다."

라는 유명한 주장을 펼치며, 실체들은 독립적인 현실을 갖는다고 의견을 내세웠다.

제5차 솔베이 회의는 수학에서는 동등하지만 물리학 사고에서 근본적으로 다른 두 인식의 틀(패러다임), 보어의 도구주의자와 아인슈타인의 현실주의자 관점, 사이에서 교착 상태에 빠져있는 듯 보였다. 그동안 과학에서 지배적 인식의 틀은 어떤 실험들을 하고, 어떻게 그것들을 해석하고, 어떤 경로를 따라 연구를 진행할지에 관해서 결정해 왔다.

…회의가 열렸던 1927년은 역사적으로 파동-입자 이중성이 슈뢰딩거 파동 역학과 하이젠베르크 입자 역학 사이의 논쟁으로 비쳐졌던 해이기도 했다.

솔베이 회의가 끝난 후, 아인슈타인은 확률, 즉 "무작위 정도"

가 오히려 "결정론"보다 앞서서 양자역학의 토대를 이루는 것에 회의적이었다. 1935년, 아인슈타인은 보리스 포돌스키(1896-1966)와 네이선 로젠(1909-1995)과 함께 [201]"아인슈타인-포돌스키-로젠 역설"을 발표하여 양자역학의 [202]"완전성"에 의문을 던졌다. 그들이 미국 논문집 〈물리학 리뷰〉에 제출했던 [203]논문 제목은 『물리적 현실에 대한 양자역학의 묘사는 완전할까?』였다. 그들은 '사고思考 실험'을 통해서 양자역학 법칙을 따르는 두 입자들의 계를 가정했고, 그 입자계의 상태가 얽혀있다는 것을 보였다. 그들은 서로 분리된 입자들의 얽힘을 이용하여, 만약 그러한 "기이한 효과"가 존재한다면, 양자역학이 잘못되었거나 또는 완전하지 않다는 것을 암시하려고 했다.

아인슈타인은 '아인슈타인-포돌스키-로젠'의 논문에서 '한곳局所 현실주의'에 대한 반대 개념으로 "양자 얽힘"을 설명하여 오늘날 "양자 정보 이론"이 시작하는 연구에 그의 이름을 올렸다. '얽힘'의 용어는 에르빈 슈뢰딩거가 두 양자계의 특별한 연결을 설명하는 과정에서 처음 [204]등장했었다.

참고로, 아인슈타인과 그의 두 동료 과학자들이 "비현실적" 얽힘 현상을 허용하는 양자 이론은 불완전할 수밖에 없다, 라고 의견을 내놓았던 '아인슈타인-포돌스키-로젠' 논문에 대해서, 2000년 5월 2일에 〈뉴욕 타임스〉 과학담당 편집인 제임스 글란즈가 기고했던 『양자 세계에서, 새로운 암호에 대한 열쇠』의 [205]글이 소개된다.

-70년 전, 아인슈타인과 그의 동료 과학자들은 매우 작은 세계를 묘사하는 이상한 규칙들(양자역학)이 "유령처럼 터무니없어서" 사실이 아니다, 라는 것을 증명할 방법을 상상해 내었다.

그것들 중 하나로서, 아인슈타인은 한 입자('ㄱ')를 측정하여 얼마나 멀리 떨어져 있든지 상관없이 다른 입자('ㄴ')의 속성들을 즉시 바꾸는 것이 양자역학에서는 가능하다는 것을 보였다. 그는 멀리 떨어진 거리에서 일어나는 이러한 작용을 '얽힘'이라고 가정했고, 너무나도 터무니없어서 자연에서는 발견되지 않는다고 주장했다. 그는 '얽힘'의 과정이 마치 일어나기나 하는 것처럼, 그 이상한 암시를 폭로하기 위해 그의 '사고 실험'을 무기처럼 휘둘렀다.

아인슈타인의 양자역학에 대한 사고思考는 뒤이어 발표된 [206][207][208]실험들에서 심하게 평가를 받게 되지만, '양자 얽힘'의 존재는 오히려 인정을 받았을 뿐만 아니라 은행 거래나 외교 공보의 안전한 전송을 위한 암호 보호에 사용될 수 있다는 것이 확인되었다.

제네바 대학교 물리학과 니콜라스 지상 교수는 "처음에는 양자 얽힘이 순수 철학의 개념으로 인식되었지만, 지금은 양자역학의 이러한 이상한 모습들이 인터넷 보안에 사용될 수 있는지에 관련해서 논의되고 있다."라고 말했다.

'얽힌' 입자들에서 측정된 속성들은 단어 뜻 그대로 숙명적으로 엮여져 있다. 이는 마치 두 개 동전들을 지구 반대편에서 동시에 아무렇게나 계속해서 던져서, 똑같이 앞면 또는 뒷면이 반복해서 나오는 것과도 같다. 실제로 이런 방식은 동전들에서 통하지 않지만,

양자 입자들에서는 일어난다.......

9.2 분자광선 자기공명 실험

209)눈부시게 번쩍이는 태양빛을 넘어서 희미하게 깜박이는 별빛을 어떻게 볼 수 있을까? 별의 희미한 미광을 압도하는 태양의 찬란한 광채를 어떻게 막을 수 있을까?

원자핵이 원자에 비해 거의 2천 배나 작은 자기 모멘트를 갖는 데서 비롯된 질문이었다. 슈테른-게를라흐 실험에서 분자광선을 한쪽으로 휘어지게 만들었던 자기 모멘트는 99.95퍼센트가 전자에서 발생했고, 나머지인 0.05퍼센트만 원자핵에서 나왔다.

1931년, 컬럼비아 대학교 교수 이지도어 아이작 라비와 뉴욕대학교 교수 그레고리 브라이트(1899-1981)는 “압도하는 원자 효과 앞에서 미세한 원자핵 자기 모멘트를 어떻게 측정할 수 있을까?”의 질문에 대해 답을 내놓았다. 당시에 컬럼비아 대학교 화학과 교수였던 해럴드 유리(1893-1981)가 자신의 분광학 실험에서 “소듐 원자핵 스핀을 결정할 수 없다”라는 내용의 논문을 발표하고 난 뒤였다.

라비와 브라이트는 외부 자기장에서 변하는 수소 원자 또는 수소와 유사한 원자들의 초미세 구조 에너지 분할을, 특히 자기장이 약한 영역(제이만 효과)과 강한 영역(파셴-바크 효과)으로 구분하여 설명했다.

그들은 원자 자기 에너지와 "유효 자기 모멘트"가 외부 자기장 세기에 따라 변화하는 210)브라이트-라비 공식을 만들었다. 이러한 변화는 전자 각운동량이 처음에는 약한 자기장에서 원자핵과 결합하지만, 나중에는 주로 강한 자기장과 결합하여 일어나는 것으로 계산되었다.
…약한 자기장에서 원자광선이 갈라져서 나타난 "광선 가닥" 수는 (전자 총양자수의 2배+1)과 (원자핵 스핀 양자수의 2배+1)의 곱으로 주어졌다.

수소 원자 바닥상태의 경우, '약한 자기장'에서 원자 총양자수는 1과 0이고 자기 양자수가 1, 0, -1과 0의 총 4개의 부에너지 층들로 나누어지지만, '강한 자기장'에서는 원자핵 스핀과 전자스핀이 함께 어울리지 못하고 거의 전자가 압도해서 +1/2과 -1/2의 2개의 부에너지 층들이 분할되어 나타났다.

라비와 그의 첫 번째 대학원생인 빅터 코헨은 슈테른-게를라흐 실험 장치를 조금씩 개선하면서, 소듐 원자핵에 대한 분자광선 실험을 준비했다. 소듐 분자광선 실험이 실제로 시작되었을 때, 코헨은 약한 자기장에서 8개로 쪼개져 나타난 '광선 가닥들'을 발견했다. 소듐 원자가 바닥상태에 있을 때, 전자 총양자수가 1/2이어서, 소듐 원자핵 스핀 양자수는 3/2인 것으로 판명되었다. 그러나 원자핵 자기 모멘트의 측정은 아직까지 정밀하게 이루어지지 않았다.

라비의 분자광선 실험은 많은 학생과 박사후연구원들을 그의 실험실로 끌어들였다. 빅터 코헨, 시드니 밀만, 제롬 켈로그, 제롤드 자카리아스가 라비의 초기 실험을 도왔다. 화학과 해럴드 유리 교수는 그가 발견한 중수重水(수소 대신 중수소와 산소로 구성된 물)와 중수소 기체를 지원해 주었고, 카네기재단으로부터 받은 상금 7,600달러의 절반을 분자광선 실험실 기금으로 라비에게 제공해 주기도 했다.

1935년에 들어오면서 라비는 새로운 분자광선 실험을 준비하기 시작했다. 분자광선이 자기장들을 통과하며 원자핵 스핀들이 한 방향을 향해 '다시 정렬'되어 한 점에 모이는 실험이었다. 아인슈타인이 제안했고 프리슈와 세그레가 포타슘 원자들에 대해 3년 전에 시험한 적이 있었다. 프리슈와 세그레는 자기장 위로 포타슘 분자광선을 보내 스핀들이 특정된 공간 방향을 따라 정렬하는지의 해답을 찾으려고 했다. 스핀들이 첫 번째 자기장을 통과하고, 즉시 새로운 공간으로 두 번째 자기장에 들어가도록 실험이 꾸며졌다.

그들은 질문했다.

"원자스핀들이 새로운 공간으로 자기장에 들어갈 때, 고집스럽게 원래 방향을 유지할 것인가 또는 자기장을 따라 방향을 전환할 것인가?"

프리슈와 세그레는 "후자"를 확인했다.

…자기장 방향이 매우 빠르게 바뀐다면 원자스핀들은 한 자기장에서 다른 자기장으로 이동할 때 '다시 정렬'을 이룬다.

사실, 프리슈와 세그레는 그들의 실험에서 원자핵 스핀 효과를 가볍게 여겼었다.

이번에는 라비가 질문을 던졌다.

"원자핵 스핀이 고려될 때, 분자광선의 공간 양자화는 자기장에 대해 어떻게 나타날까?"

1936년 2월 미국 논문집 〈물리학 리뷰〉에서 발표된 『공간 양자화 과정』의 211)논문에서, 라비는 원자핵 자기 모멘트의 부호(+ 또는 -)를 비非단열 과정에서 측정했고, 그래서 자기 모멘트가 각 운동량에 평행인지 또는 반反평행인지 알 수 있다고 밝혔다.

—약하고 매우 빠르게 변하는 자기장이 원자핵 스핀을 보유한 원자에 미치는 효과가 논의되었고, 프리슈-세그레 실험에 적용된 결과는 초미세 구조의 분할 간격이 매우 작은 경우에도 원자핵 스핀의 측정이 가능하다는 사실을 보였다.

—계산 결과에 따르면, 원자핵 자기 모멘트의 부호 측정은 가능했다.

라비는 논문에서 언급된 '자기 모멘트 부호'의 착상이 리버사이드 드라이브에 있는 집으로부터 학교를 향해서 언덕을 오르는 동안 떠올랐다고 회상했다.

-어느 날 클레어몬트가街 언덕을 오르며, 내 몸을 움직여 운동 감각에 의해 자기 모멘트 부호를 인식할 수 있다는 생각이 들었다. "내 몸이 자기 모멘트이고 자기장 방향 주위를 비틀거리며[마치 팽이처럼] 돌고 있으면, 자기 모멘트 부호는 내 몸이 비틀거리며 도는 감각에 의해서 전달될 수 있다."라고 판단되었다. 이를 위해서 나는 자기 모멘트를 향하거나 또는 거슬리는 또 다른 자기장을 추가해야 했다. 매우 구체적인 생각이 떠올랐고, 모든 '공명共鳴' 방법의 시작도 이 때로 거슬러 올라간다.

1937년에는 원자핵 스핀들이 한 방향을 향해 '다시 정렬'되는 과정에 관련하여 좀 더 정량적으로 분석한 『회전 자기장에서 공간 양자화』의 [212]논문이 발표되었다. 이 논문은 "자기공명 방법"의 기초가 된 이론을 그 안에 담고 있었다.
—회전 자기장에서 스핀계의 비非단열 전이가 계산되었고, 스핀계의 자기 모멘트 부호에 따라서 그 효과가 달라지는 것으로 나타났다. 비단열 전이의 계산은 스핀계의 자기 모멘트 부호와 크기를 결정했고, 원자핵뿐만 아니라 중성자와 분자 자기 모멘트에도 적용되었다.

제2차 세계대전이 끝나고 이 논문은 하버드 대학교 에드워드 퍼셀과 스탠포드 대학교 펠릭스 블로흐가 빠르게 움직이는 분자광선 대신, 기체, 유체, 고체에 상관없이 측정 가능한 "원자핵 자기공명" 방법을 발견한 연구에서 중추적인 역할을 했다. 지난 50년 이상 동안 레이저 물리학자들은 이 논문에서 유도된 "뒤집기(플립 플롭)" 공식을 새로운 발견에 인용해 왔다.

1937년 2월에 '자기공명'에 관련된 논문이 제출되었고, 라비의 박사후연구원과 학생인 제롤드 자카리아스, 제롬 켈로그, 폴리카프 쿠쉬, 시드니 밀만이 '분자광선 자기공명' 실험을 시작했다. 기본적으로 아인슈타인이 제안했었고 실제로 프리슈와 세그레가 만들어서 썼던 장치를 참고하여 실험이 준비되었다.

[213]가장 중요한 실험 장치는 두 개의 불균일한 자기장 사이에 삽입된 균일 자기장과 회전 자기장이었다. 회전 자기장은 라디오파 발진기에 연결된 도선으로부터 유도돼서 균일한 자기장과 함께 원자핵 스핀들을 '뒤집기'하기 위해서 설치되었다. 연구실에서 라비는 자카리아스에게 말했다.

“만약 라디오파[라디오파 진동수로 회전하는] 자기장을 사용한다면, 너는 ‘스핀 뒤집기(플립플롭)’에 성공할 것이다.”

라비는 이 새로운 실험 방법을 “원자핵 자기 모멘트 측정을 위한 분자광선 공명 방법”이라고 불렀다.

1937년 9월, 네덜란드 흐로닝언 대학교 코르넬리스 야코뷔스 호르터르(1907-1980)가 라비를 방문했다. 호르터르는 비록 성공하지는 못했지만 고체에서 원자핵 자기공명에 관련하여 『상자성常磁性 완화 효과』의 [214]논문을 네덜란드 논문집 〈물리학〉에서 이미 발표한 적이 있었다. 그는 미국을 방문하여 미시건 대학교에서 여름학교에 참가한 후에 컬럼비아 대학교에서 라비를 만났다.

호르터르는 1932년에 레이던 대학교에서 반더르 요하너스 더 하스 교수의 지도하에 ‘저온 물리학 상자성체’를 주제로 박사학위 논문을 썼고, 흐로닝언 대학교에서 한국 부교수급에 해당하는 “리더” 직職을 제안 받고 학생들을 가르쳤으며, 1936년에 ‘라디오파-진동수 상자성 감수율’을 조사하여 ‘상자성 완화 효과’를 [215]발견했다. 더 하스는 1915년에 발표되었던 ‘아인슈타인-더 하스 효과’의 공동저자였다.

[216]라비의 실험실을 방문한 호르터르는 라비의 박사후연구원들 중 한 명으로부터 분자광선 장치와 회전 자기장의 설명을 들었다. 그 자리에서 그는 원자핵 자기공명을 제대로 관찰하기 위해서는 정지 자기장과 함께 수직 방향으로 라디오파 진동수의 자기장을 놓아야 한다고 조언해 주었다. 그는 단순한 계산 결과를 라비에게

보여 주며, 조그만 발진기라도 분자광선의 원자핵 스핀들을 “아무렇게나 무작위하게” 섞어 놓기에 충분하다고 설명했다. 발진기에서 내보낸 전류가 유도한 자기장을 원자핵 스핀들이 동일한 진동수에서 보게 된다면, 자기공명 신호가 선명하게 나타날지도 모른다는 생각을 떠올리며, 라비는 곧 실험 계획을 세웠다.

분자광선은 여러 자기장을 지나가며 검출기에서 다시 모아진다. 첫 번째 불균일한 자기장 뒤에는 좁은 직사각형 모양의 실틈이 놓여 있고, 특정한 방향을 향하는 분자광선만 선택되어 균일한 자기장과 회전 자기장, 그리고 두 번째 불균일한 자기장으로 보내진다. 균일한 자기장은 수직으로 놓인 회전 자기장과 함께 분자광선 원자핵 스핀들을 아무렇게나 무작위하게 섞은 다음에 ‘뒤집기’를 하기 위해서, 두 번째 불균일한 자기장은 분자광선을 다시 모우기 위해서 각각 이롭게 사용된다.

분자광선 스핀들은 균일한 자기장[라모 진동수]에 맞춰 축돌기 운동을 되풀이하고, 회전 자기장이 보내는 라디오파 신호에 어울려 축돌기 방향을 새롭게 바꾼다. 만약 방향이 새로워진 스핀들이 두 번째 불균일한 자기장을 통과하며 한 방향을 향해 ‘다시 정렬’한다면, 한 점에 모두 모아져서 곧 검출기 전류에 그만큼 추가되어 나타난다.

1938년 1월에 라비, 자카리아스, 밀만, 그리고 쿠쉬는 미국 논문집 〈물리학 리뷰〉에 『원자핵 자기 모멘트 측정의 새로운 방법』의 [217]논문을 제출하여 ‘원자핵 자기공명’ 실험의 성공을 과학 세계에 알렸다. 그들의 실험은 정밀도 면에서 매우 정확했으며, 무엇보다도 종류에 상관없이 여러 원자핵들을 서로 구분하고 '다시 정렬'하는 과정을 거쳐서 원자핵 자기 모멘트를 직접 측정하도록 설계된, 매우 혁신적이고 새로운 기술을 선보였다.

처음에는 자기장을 모두 끊은 채로 실험이 시작되었다. 화덕으로부터 방출된 분자광선은 자기장 없이 직선 경로를 따라서 검출기에 강하게 도착했다. 그런 다음, 두 번째 자기장(자석 2)이 작동되면서, 분자광선이 여러 갈래로 나누어져 위와 아래로 직선 경로를 비껴가서 검출기 신호가 아예 사라져 버렸다. 이어서 첫 번째 자기장(자석 1)이 작동되고 점점 강해지면서, 여러 갈래로 나눠졌던 분자광선이 다시 한 점에 모아져 검출기 신호가 점점 크게 나타났다. 균일 자기장(자석 3)의 전류가 천천히 증가하면서 분자광선 세기가 측정되었다. 마치 땅에서 불쑥 튀어 오른 "산봉우리"처럼, 선명하고 날카로운 모양의 자기공명 '스펙트럼'이 관측되었다.

실험에서 사용된 장치는 밀만, 라비, 자카리아스가 발표한 『원자핵 자기 모멘트 측정에 대한 분자광선 공명 방법』의 [218]논문에서 좀 더 자세히 설명되었다.

—자석 1과 자석 2는 길이가 각각 52와 58 센티미터였고, 구리선을 4번씩 감아서 제작되었다. 300암페어 전류가 공급될 때, 자기장 세기와 자기장 기울기가 1.2테슬라와 10테슬라/센티미터였다.

—자석 1과 자석 2 사이에 설치된 자석 3은 한 변이 약 0.5센티미터(3/16 인치)인 정사각형 구리막대를 12번 감아서 제작되었고, 자석 양兩 극은 길이가 10센티미터, 높이가 4센티미터, 간격이

0.635센티미터였으며, 중앙에서 자기장 세기가 1암페어당 23가우스였다.

—회전 자기장은 지름이 약 0.32센티미터(1/8 인치), 길이가 4센티미터, 그리고 서로 1밀리미터 떨어진 두 개의 납작한 구리 관으로 구성된 “머리핀” 도선에서 유도되었고, 자석 3이 만드는 자기장과 수직을 이루었다.

—머리핀 도선에 공급된 전류는 0부터 40암페어 사이였으며, 1암페어당 2가우스의 회전 자기장이 유도되었고, 발진기 진동수는 0.6에서 8메가헤르츠 사이였다.

—자석 3(균일 자기장)의 전류가 110에서 120암페어까지 증가하면서, 염화리튬 분자광선의 세기도 측정되었다. 약 115.6암페어 근처에서 마치 ‘산봉우리’처럼 생긴 선명하고 날카로운 자기공명 ‘스펙트럼’이 나타났다.

—리튬-7 원자핵의 자기공명 진동수는 3.518메가헤르츠였다.

—염화리튬, 불화리튬, 불화소듐, 리튬에 대해 측정된 리튬-7(스핀 3/2), 리튬-6(스핀 1), 불소-19(스핀 1/2)의 원자핵 자기 모멘트는 각각 3.250, 0.820, 2.622 원자핵 마그네톤이었다.

리튬-7 원자핵의 경우, 라모 진동수가 3.518메가헤르츠, 자기장 세기가 0.2127테슬라, 스핀 양자수가 3/2으로 각각 측정되었다. 그러므로 ‘자기회전 비율’은 라모 진동수를 자기장 세기로 나누어서 16.540메가헤르츠/테슬라, ‘자기 모멘트’는 스핀 양자수와 플랑크 상수와 자기회전 비율을 곱해서 3.250원자핵 마그네톤, 랑데 ‘지-수’는 자기 모멘트를 스핀 양자수와 1원자핵 마그네톤으로 나누어서 2.167로 각각 계산되었다.

이 수치를 최근 자료와 비교하면, 라비의 리튬-7 측정은 0.04 퍼센트 오차 범위 내에서 정밀도를 보였다. [1원자핵 마그네톤은 원자핵 전하질량 비의 절반과 축소 플랑크 상수의 곱이다].

라비의 실험은 '원자핵 자기 공명'의 최초 실험이었다. '공명共鳴'은 외부 파동의 힘으로 자극될 때 이와 동일한 [219]진동수에서 물체가 떨거나 또는 진동 에너지가 발산하여 생기는 현상이다. …물체 에너지와 동일한 진동수에서, 외부로부터 가해지는 힘은 내부에 그대로 전달되어서 물체에 가장 크게 영향을 미친다.

움직이는 그네에 앉은 아이에 맞춰서 동일한 진동수(1초당 횟수)로 밀어주면 아이는 점점 더 높이 올라가고, 조금 천천히 또는 빠르게 밀어주면 아이는 오히려 더 아래로 내려온다. 일단 일정하게 흔들리기 시작하면, 조금만 힘을 가해도 그네는 멈추지 않고 계속해서 움직인다. 공명 현상은, 그네의 흔들리는 횟수(고유 진동수)와 외부에서 가하는 힘의 진동수(밀어주는 횟수)가 "서로 정확히 꼭 들어맞을 때", 그 힘이 그네에 그대로 전달되어서 최대 효과를 만들어 낸다.

자기장에서 자기 모멘트를 가진 원자의 운동은 마치 회전하는 팽이의 움직임과도 유사하다. 팽이 회전축은 지면 수직축에 관해 일정한 각도로 기울어진 채 '축돌기' 운동을 거듭한다. 회전이 늦어지면 팽이 회전축이 그리는 원도 점점 더 커지다가 마침내 바닥에 쓰러지고 말지만 원자들은 다르다. 원자들의 스핀은 “고유”해서 언제나 같은 속도를 유지하고, 자기장에 관해 일정한 각도로 기울어진 채 ‘축돌기’ 운동을 거듭한다.

회전 자기장 에너지가 원자핵 스핀들에 그대로 잘 전달되는, 회전 자기장의 라디오파 진동수와 균일 자기장의 원자핵 라모 진동수가 잘 맞춰진 “원자핵 자기공명”은, 원자핵 스핀들이 한 방향을 향해 ‘다시 정렬’된 상태에 이르는 데 결정적인 요소로서 작용했다.

라디오파 진동수의 회전 자기장을 내보내는 도선은, 마치 우리가 방송국 신호를 라디오 주파수에 맞춰 수신하는 것처럼, 라모 진동수에 맞춰 제각기 다른 원자핵과 교신한다.

1939년 7월 31일, 켈로그, 라비, 램지, 자카리아스는 『양성자와 중수소 원자핵의 자기 모멘트』의 [220]논문을 〈물리학 리뷰〉에 제출했다. 오토 슈테른이 6년 전에 측정했던 양성자와 중수소 원자핵의 자기 모멘트가 이번에는 ‘원자핵 자기공명’의 방법이 사용되어 측정 정밀도가 30배 이상 더 높아졌다. 분자광선 장치는 이물질이 섞이지 않게 하기 위해서 분자광선이 형성되는 증발구역과 뻗어나가는 통과구역으로 나뉘었다. 증발구역은 드라이아이스로 냉각된 확산펌프에 의해 1억 분의 5.26기압, 통과구역은 100억 분의 6.57기압의 진공이 유지되었다.

분자광선에 사용된 수소와 중수소 양은 각각 1천 분의 5.26과

1천 분의 6.57기압이었다. 분자광선을 모으기 위해 사용된 실틈은 폭과 높이가 증발구역에서 0.05와 3 밀리미터, 통과구역에서 0.1과 6 밀리미터였다. 분자광선은 재료를 절약하기 위해서 계속 순환되도록 설계되었고, 하루에 약 6입방 센티미터의 양만으로도 실험이 충분했다.

수소, 중수소, 수소-중수소(수소 원자 1개와 중수소 원자 1개로 구성된) 분자들에 대해서, 양성자와 중수소 원자핵의 자기 모멘트가 각각 2.786과 0.856 원자핵 마그네톤이었다. 균일한 자기장(자석 3)의 세기가 0.2457과 0.3224 테슬라일 때 양성자와 중수소 원자핵의 라모 진동수는 각각 10.430과 2.103 메가헤르츠였다.

원자핵의 라모 진동수는 자기회전 비율[단위는 메가헤르츠/테슬라]과 자기장 세기[단위는 테슬라]의 곱이어서, 양성자와 중수소 원자핵의 자기회전 비율은 각각 42.450과 6.523 메가헤르츠/테슬라로 계산되었다.

…라비가 측정한 양성자와 중수소 원자핵의 자기 모멘트는 현재 자료(자기회전 비율이 각각 42.576과 6.536 메가헤르츠/테슬라)와 0.3퍼센트의 오차 범위 내에서 일치한다.

6년 전에 221)슈테른이 측정했던 양성자와 중수소 원자핵의 자기 모멘트는 각각 2.5와 0.8~0.9 원자핵 마그네톤이었고, 현재 자료와 비교해서 약 10퍼센트의 오차를 보인다.

1944년, 라비는 분자광선 실험에서 『원자핵 자기특성 측정에 대한 공명 방법』의 공헌으로 노벨 물리학상을 받았다. 1945년부터

1949년까지 그가 컬럼비아 대학교 물리학과 학과장을 맡았을 때, 교수나 방문 교수나 학생이었던, 라비와 엔리코 페르미는 이미 노벨상을 받았고, 폴리카프 쿠시, 윌리스 램 주니어, 마리아 괴퍼트-메이어, 제임스 레인워터, 노만 램지, 찰스 타운스, 히데키 유카와, 아게 닐스 보어, 한스 베테, 리언 레더먼, 리언 쿠퍼, 그리고 그 이후에 줄리언 슈윙거와 마틴 펄까지 포함하여 총 15명이 노벨 물리학상을 수상했다.

제2차 세계대전 중, 당시 수상이었던 윈스턴 처칠은 영국이 개발하던 마이크로파와 레이더 기술을 미국에 제공했다. 이를 바탕으로 메사추세츠 공과대학에는 「방사선 연구소(현재 링컨 연구소)」가 설립되었고 이지도어 라비가 부副 연구소장직을 맡았다. 그때 연구소장은 전쟁이 끝난 뒤에 캘리포니아 공과대학 총장을 지낸 미국 물리학자 리 두브리지(1901-1994)였고, 그 뒤를 이어서 라비가 총장으로 취임했다.

라비는 「브룩헤이븐 국립연구소」와 「유럽 입자물리학 연구소」의 설립에 참여했고, 미국 물리학회 회장과 아이젠하워 대통령의 과학고문을 담당했다. 「브룩헤이븐 국립연구소」는 제2차 세계대전 중 연합군이 조직했던 "맨해튼 프로젝트"의 후속 계획이었다. 미국 동부의 9개 대학을 중심으로 조직되어 1947년부터 뉴욕 맨해튼에 인접한 롱아일랜드에서 운영되고 있다.

제2차 세계대전이 끝나고, 에드워드 콘던, 리 두브리지, 줄리어스 오펜하이머, 프랜시스 루미스, 이지도어 라비가 미국 물리학회 회장을 맡으면서 미국의 과학은 전성기를 이루었다. 유럽의 많은 물리학자들은 미국으로 이주해서 학생들을 가르쳤고, 미국이 세계 물리학 중심지가 되는 과정에서 핵심적인 역할을 했다. 라비가 유럽을 방문해서 분자광선을 배우고 불과 20년이 채 지나지 않아서였다. 과학자들뿐만 아니라 과학 기술도 유럽에서 미국으로 이동했고, 경제 중심지도 따라서 미국으로 바뀌었다.

9.3 원자핵 자기공명 실험

1936년, 네덜란드 흐로닝언 대학교의 코르넬리스 야코뷔스 호르터르는 [222]『상자성 완화』의 논문을 발표했다. 그러나 실험에 사용된 고체 시료에서 원자핵 자기공명 효과를 관측하는 데는 실패했다. 2년이 지난 다음, 이지도어 아이작 라비는『원자핵 자기 모멘트 측정의 새로운 방법』의 [223]논문을 발표하여 '원자핵 자기공명'의 성공을 알렸고, 2년이 더 지나서 루이스 월터 알바레즈와 펠릭스 블로흐는 라비와 같이 '자기공명' 방법을 사용해서『원자핵 마그네톤 단위에서 측정된 중성자 자기 모멘트의 정량적인 결정』의 [224]논문을 발표했다. 미국 물리학자 루이스 알바레즈는 '콤프턴 효과'로 알려진 아서 콤프턴의 학생이었고, 스위스 출신의 미국 물리학자 펠릭스 블로흐는 베르너 하이젠베르크의 첫 번째 대학원생이었다.

피터르 제이만 후임으로 암스테르담 대학교 교수로 부임한 호르터르는 액체와 고체 시료를 사용해서 원자핵 자기공명 실험을 계속했다. [라비의 실험은 움직이는 기체를 사용했다]. 1942년에 레이던 대학교에서 옮겨온 장비를 사용하여 염화리튬 분자에서 질량수가 7인 리튬과 불화칼륨 분자에서 질량수가 19인 불소에 자기 공명 방법을 시험해 보았지만 [225]성과는 없었다.
…시료가 불순물과 섞이지 않고 너무 순수해서 원자들이 평형 상태에 이르는 시간이 매우 오래 걸렸다.

1949년, 레이던 대학교에서 호르터르 교수의 지도하에 1년 전 박사학위를 받았고, 박사후연구원이던 니콜라스 블룸베르헌(1920-2017)은 호르터르가 실패했던 실험에서 원자핵 자기공명 신호를 마침내 찾아냈다. 액체 헬륨(절대온도 4도, 섭씨 영하 269도 이하) 온도에서 고체 리튬-7의 원자핵 자기공명 실험이었다. 블룸베르헌은 원자핵 스핀들이, 분자들을 이루는 격자格子와 상호작용을 통해 "완화"되어 평형 상태로 되돌아가는 시간, '스핀-격자 완화시간'이 7분이라는 사실을 [226]확인했다. 3년 전 에드워드 퍼셀이 상온(섭씨 27도, 절대온도 300도)에서 자기공명 신호를 관측하고 난 뒤였다.

1946년에 미국 물리학자 에드워드 퍼셀(1912-1997)은 상온(섭씨 27도, 절대온도 300도)의 석랍(파라핀)에서 양성자 자기공명 신호를 관측하여 스핀-격자 완화시간이 1분 미만이라는 사실을 이미 [227]보고했었다.

호르터르는 퍼셀보다 '액체와 고체에 대한 원자핵 자기공명' 실험을 일찍이 시도했지만 결과로까지는 이루어내지 못했다.
…너무 낮은 온도에서 실험을 진행해서, 시간이 지남에 따라 변하는 회전 자기장의 세기가 너무 컸으며, 측정 시간이 매우 길었던

것도 실패의 원인이었다.

결과를 알고 원인에 대해 설명하는 것은 쉽지만,...... 만약 호르터르가 시료를 절대온도 4도에서 염화리튬(리튬-7 원자핵)이나 불화칼륨(불소-19 원자핵) 대신 상온에서 석랍(파라핀)을 선택했더라면, 노벨 물리학상을 앞서서 받았을는지도 모른다.......

1948년, 하버드 대학교 교수 에드워드 퍼셀은 그의 동료인 로버트 파운드와 대학원생이었던 니콜라스 블룸베르헌과 함께 [228]블룸베르헌-퍼셀-파운드 이론을 발표했다. 영어 이름의 첫 글자를 모아서 통용되는 "비피피" 이론은 원자핵 자기공명 이론에서 기초를 이루고 물질 속 분자의 미세한 운동을 매우 상세히 설명한다.

'비피피' 이론에 따르면, 강한 자기장에 담긴 원자핵 스핀들은 물질에서 이웃 격자格子들(분자들)로 구성된 "열 저장소"와 에너지를 교환하여, 마침내 유한한 온도에서 평형 상태에 도달한다. 이 상태에서 원자핵 스핀들은 라디오파의 회전 자기장으로부터 에너지를 흡수할 준비가 되어 있다. 스핀들은 에너지 흡수와 함께 온도가 올라가지만, 에너지 흡수의 정도는 오히려 점점 줄어드는 경향이 나타난다. 이와 같이 "스핀 온도"가 올라가면서 에너지 흡수는 점점 줄어드는 "포화" 효과를 직접 측정하는 방법으로서, '스핀-격자 완화시간'이라는 물리량의 관측이 가능해 진다.

원자핵 스핀들 사이에서도 에너지 교환이 별도로 이루어진다. 원자핵 스핀들 사이 상호작용은 에너지 흡수 스펙트럼 "넓이"에 영향을 미치며, 물리량으로서 "스핀-스핀 완화시간"을 통해 측정된다. 원자핵 스핀들 사이 상호작용은 스핀-격자 상호작용과 다르게, 정지 자기장에서 에너지를 보존하여 별도로 열 저장소에는 전달하지 않는다[엄밀하게는 사실이 아니며, 알프레드 레드필드에 의하면, 고체에서 중요한 효과를 따로 불러일으킨다].
…일반적으로, 스핀-격자 완화시간은 고체, 액체, 기체의 순서로 점점 더 짧아지고, 스핀-스핀 완화시간에 가까워진다.

블룸베르헌-퍼셀-파운드 실험에서 스핀-격자 완화시간은 대부분 1만 분의 1초와 100초 사이에서 관측되었고, 액체의 경우에는 거의 점성이 높아질수록 감소했지만, 어떤 경우에는 바닥에 도달한 후에 다시 증가했다.

블룸베르헌-퍼셀-파운드 실험은, 라비가 세 개의 자석과 회전 자기장을 통과하는 분자광선("움직이는 기체")으로부터 공간 양자화를 조사했던 것과 다르게, 한 개의 전기자석과 그 안에 회전 자기장을 유도하는 코일을 놓아서 포함된 시료로부터 자기공명 스펙트럼을 관찰했다. 회전 자기장은 정지 자기장에 수직 방향이었고, 코일 안에 담긴 기체, 액체, 고체 시료로부터 자기 모멘트가 유도되어 라디오파 수신기에서 직접 측정되었다.
—물냉각 방식의 전기자석이 사용되었고, 자석의 양 극 지름은 4인치(약 10센티미터)였으며, 간격은 3/4과 1 인치 사이에서 조절되었다.
—회전 자기장 진동수는 양성자와 불소 원자핵에 대해 30메가헤르츠였고, 이 때 사용된 정지 자기장의 세기는 각각 0.7050과

0.7487 테슬라였다.

—시료가 들어있는 코일은 지름이 7밀리미터이고 길이가 15밀리미터인 원통 모양이었다(부피가 거의 0.5입방 센티미터). 굵기가 1.02밀리미터인 구리선이 12번 감겨서 사용되었고, 코일에 저장된 자기 에너지와 손실에너지의 비율을 나타낸 "품질 인자"는 30메가헤르츠에서 150이었다. [공식적인 용어로, '큐 인자' 또는 '질 인자'이고, 품질을 나타낸다].

퍼셀-파운드-블룸베르헌 실험에서, 0.5그램의 물 시료 안에는 [229]아보가드로 수의 약 20 분의 1에 해당하는 양성자들이 들어있고, 코일의 [230]유도계수(또는 인덕턴스)는 1백만 분의 4.38헨리, 코일 안에 형성된 자기 에너지는 9.3기가전자볼트, 자기공명 신호는 약 0.071볼트인 것으로 계산되었다.

코일 안에 형성된 자기 에너지는 자화율과 자기장 세기의 제곱을 곱하고, 원자핵 자기공명 신호는 "자기화량磁氣化量(단위 체적당 자기 모멘트)"과 코일 표면적과 '품질 인자'를 곱해서 계산된다. '품질 인자'가 너무 높으면 손실된 에너지가 적어서 자기공명 신호가 향상되기는 하지만, 대신 자기공명 신호의 선폭이 줄어든다. '품질 인자'는 진동수와 선폭의 비율로서 결정되고, 고체 시료를 측정할 때는 주로 낮은 '품질 인자'의 코일이 사용된다.

1942년 네덜란드 논문집 〈물리학〉에서 발표된 『고체에서 원자핵 자기공명 관측의 부정적인 결과』의 [231]논문에서 밝혔듯이, 원자핵 자기공명 관측을 처음 시도했던 네덜란드 물리학자 호르터르는 염화리튬에서 리튬-7과 불화칼륨에서 불소-19 원자핵의 자기공명 신호를 얻는 데 실패했었다. 리튬-7 원자핵의 스핀-격자 완화시간이 7분이라고 가정되면, 시간이 1초, 2초, 3초, 30초, 1분, 7분이 경과하면서, 자기공명 신호는 포화상태에 비해 0.24퍼센트, 0.48퍼센트, 6.9퍼센트, 13퍼센트, 63퍼센트로 회복된다. 불순물이 섞이지 않아 스핀-격자 완화시간이 긴 순수한 시료에서는, 그 만큼 측정이 오래 걸려서 어려운 실험이 될 수밖에 없다. 실험이 10번 반복되면 측정된 신호대 잡음비가 3.16배나 증가해서 측정 오차를 줄일 수 있지만, 정밀측정을 위해서는 스핀-격자 완화시간이 짧은 시료가 자주 선택된다.

…신호대 잡음비는 실험을 반복하는 횟수의 제곱근에 비례한다.

비피피 이론에 따르면, 스핀-격자 완화시간이 최소가 되는 조건, 즉 자기공명 진동수와 상관시간(분자의 운동이 무시되는 임계시간)의 곱이 약 0.1일 때, 30메가헤르츠의 자기공명 진동수에 대한 상관시간은 약 1억 분의 0.33초였다. 섭씨 20도 브로민화 암모늄에서 질소와 수소 원자 사이의 거리는 약 1억 분의 1.03센티미터여서, 양성자 스핀-격자 완화시간은 약 1천 분의 6초로 계산되었다. 232)퍼셀의 실험 결과에 따르면, 브로민화 암모늄에서 양성자 스핀-격자 완화시간은 1천 분의 12.5초였고, 계산 결과의 2배로 확인되었다.

물의 경우, 상관시간이 1조 분의 3.5초로 가정되면, 양성자 스핀-격자 완화시간은 3.4초인 것으로 계산되어서 스핀-스핀 완화시간과 동일하게 나타났고, 최근 실험값인 3.6초와 5퍼센트 범위 내에서 일치한다.

니콜라스 블룸베르헌은 네덜란드 위트레흐트 대학교에서 공부하던 중 제2차 세계대전이 일어나서, 1945년에 미국으로 유학을 떠나 하버드 대학교에서 대학원 과정을 마쳤다. 그는 233)박사학위 논문에 그 당시 어려움을 적었다.

- 전쟁으로 대학이 수업을 중단했고, 미국에 유학을 와서 박사과정 시험도 통과해야 했으며, 시간과 생활비도 늘 부족했다. 전쟁이 끝나고 호르터르 교수의 지도하에, 하버드 대학교에서 퍼셀 교수와 함께 연구했던 자료를 모아서, 레이던 대학교에서 박사학위 논문 심사를 받았다.

블룸베르헌은 하버드 대학교에서 에드워드 퍼셀 교수의 지도로 대학원 과정을 마쳤고, 레이던 대학교에서 호르터르 교수의 지도하에 박사학위 심사를 받았다. 그는 호르터르 교수의 박사후연구원으로서 1년 동안 원자핵 자기공명을 연구했고, 1949년에 하버드 대학교로 돌아와서 1951년에는 부교수가 되었다. 1981년, 블룸베르헌은 『레이저 분광학 개발』에 대한 공헌으로 노벨 물리학상을 수상한다.

'비피피' 이론에서 세 번째 물리학자인 로버트 파운드(1919-2010)는 1941년에 뉴욕주 버팔로 대학교를 졸업했고, 제2차 세계대전 동안 메사추세츠 공과대학교에 설치된 「방사선 연구소(현재는 링컨 연구소)」에서 연합군을 위한 레이더 개발에 참여했다.

1945년, 파운드는 뛰어난 실험 실력을 인정받아서, 하버드 대학교에서 대학원 학위 없이 임명되는 조교수급의 "교수 펠로우"가 되었다. 그는 퍼셀이 받았던 1952년 노벨 물리학상에서는 제외되었지만, 원자핵 자기공명 장치의 핵심인 '파운드 상자'를 설계했고, 빛이 진행하는 동안 지구 중력장에 의해 에너지가 증가하는 현상을 증명하는 [234]'파운드-레브카 실험'을 고안해서 아인슈타인의 일반상대성 원리를 시험했다.

미국 중부 일리노이즈 주의 조그만 시골 마을에서 자란 에드워드 퍼셀은 인디애나주 주립대학인 퍼듀 대학교에서 전기공학 학사과정을 마친 후에 하버드 대학교 대학원에서 박사학위를 받았다. 그는 대학원 과정에서 미국 물리학자와 수학자 존 해즈브룩 밴블렉(1899-1980) 교수로부터 전기와 자기 감수율의 물리학 수업을 들었고, 동급생인 말콤 헵과 함께 '단열 자기없앰(磁氣消去)에 의한 냉각'을 이론적으로 분석해보라는 학기과제를 논문으로 작성했다. 이 논문은 나중에 원자핵 자기공명을 연구하는 계기로 이어졌다.

박사학위를 마친 퍼셀은 제2차 세계대전으로 조직된 「방사선 연구소(링컨 연구소)」의 '첨단 연구부'에 소속되어 영국에서 개발 중이던 마그네트론에 기초를 둔 마이크로파 레이더 연구를 시작했다. 그 당시 그는 1.25센티미터 마이크로파 장비를 개발했지만, 습기가 찬 날에 레이더 광선의 탐지거리가 줄어드는 이유에 대해, 물의 두 분자스핀 상태가 분리되어 1.25센티미터 파장의 마이크로파를 완전히 흡수하기 때문이라는 사실은 알지 못했다. 그는 「방사선 연구소」에 있는 동안에 연구소 부원장이던 이지도어 아이작 라비의 분자광선 자기공명을 배웠다.

1945년 가을, 전쟁은 끝났지만 연구소에 남아서 그동안 연구했던 자료들을 모아서 책을 작성 중이던 퍼셀은 헨리 토리와 로버트 파운드와 함께 점심 식사하는 자리를 자주 가졌다. 퍼셀은 라비의 컬럼비아 학생이었던 토리에게 "라비의 자기공명 실험을 기체 대신 고체로 해보면 어떻겠는지?"하고 물었다. 돌아온 대답은 회의적이었지만 한편 가능할지도 모른다는 반응도 담고 있었다.

퍼셀과 토리와 파운드는, 강한 자기장에서 고체 상태 원자핵의 라디오파 에너지 흡수를 위한 공명 장치를 설계했다. 1946년 가을, 퍼셀은 하버드 대학교 부교수로 돌아왔고, 네덜란드에서 유학 온 블룸베르헌, 그리고 파운드와 함께 원자핵 자기공명 이론과 실험을 성공적으로 이끌었다. 에드워드 퍼셀은 『액체와 고체에서 원자핵 자기공명 실험』의 공헌으로 펠릭스 블로흐와 함께 1952년 노벨 물리학상을 공동 수상했다.

9.4 스핀 메아리

스핀 양자수가 1/2인 양성자는 자기장에서 평행 또는 반反평행인 방향으로 놓여서 +1/2(↑)과 -1/2(↓)의 두 스핀 상태에서 분포한다. 양성자들은 물질에 포함되어 정지 자기장에서 일정하게 스핀들이 분포돼 있지만, 회전 자기장이 더해지면 한 스핀 상태에서 다른 스핀 상태로 전이가 일어나며 새로운 스핀 분포를 맞이한다. 이와 같이 새로운 변화를 일으키는 회전 자기장은 두 스핀 상태의 에너지 차이에 맞춰 전이를 유도하고 스핀을 뒤섞어 놓아서 “스핀 유도 자기장”이라고도 불린다.

회전 자기장이 더해졌다 그치면, 뒤섞였던 스핀들은 시간이 흐르며 ‘다시 정렬’된 상태로 되돌아와서 평형 상태를 회복한다. 물질에서 양성자 자기 모멘트의 크기는 평행과 반反평행한 스핀들의 분포 차이로부터 정해진다. 상온에서 전체 스핀의 약 1십만 분의 1 또는 1백만 분의 1 정도만 뒤섞였다가 다시 정지 자기장을 향해 늘어서며 ‘순純 자기 모멘트’의 크기가 결정된다. 0.5그램 물의 경우, 1 다음에 0이 16개 또는 17개가 늘어서는 약 1만조 또는 그보다 열 배나 많은 양성자 스핀들이 ‘순 자기 모멘트’의 크기를 결정하여 자기공명 신호를 만들어 낸다.

정지 자기장에 수직인 방향으로 회전 자기장이 함께 놓이면, 두 가지 자기장이 포개져 원자핵 스핀 운동에는 복잡함이 더해진다. 시간이 지남에 따라 변하는 자기장의 복잡함은 좌표 변환을 통해 바로 단순하게 처리된다. 라모 진동수로 돌아가는 ‘회전 기준좌표’에서 원자핵 스핀들은, 좌표계의 회전 효과와 두 자기장(정지 자기장과 회전 자기장)이 더해져서, 소위 “유효 자기장”에 관한 축돌기 운동으로 변환되어 나타난다.
…‘회전 기준좌표’에서 원자핵 스핀들은 “마치 변하지 않고 멎어 있는” 자기장을 직접 체험하는 것처럼 효과적으로 반응한다.

마치 놀이공원에서 회전목마들이 설치된 회전판에 올라서면 그

위에 있는 모든 물체들은 정지해 있는 것처럼 보이는 것과도 같다. 회전판 위에 서있는 아버지와 목마에 탄 아이 사이의 거리와 방향은 항상 일정하고 변하지 않는다.

'회전 기준좌표'에서 원자핵 스핀들은 정지 자기장의 방향으로부터 일정한 각角만큼 기울어진 "유효 자기장"을 회전축으로 삼아서 원뿔의 빗변을 가리키고, 그 끝은 원뿔 윗면의 원을 그리며 축돌기 운동을 거듭한다. 특히 자기공명[원자핵 라모 진동수가 회전 자기장 라디오파 주파수와 같은] 조건에서는, 유효 자기장이 순전히 회전 자기장이어서 매우 짧은 지속시간 동안만 유지된다면, 원자핵 스핀들은 각속도와 회전 자기장의 지속시간을 곱한 각도만큼 회전을 진행한다. [각속도는 자기회전 비율과 회전 자기장 세기를 곱한 양이고, 라디안/초의 단위를 사용한다].

일반적으로, 회전 자기장은 실험실에서 정지 자기장보다 거의 1천 배 이상 약하게 만들어서 사용된다. 만약 회전 자기장이 자기 모멘트의 방향을 90도만큼 돌린다면, 소요되는 시간은 약 1에서 50 마이크로초 정도이다. 예를 들면, 정지 자기장과 회전 자기장의 세기가 각각 1과 1/1000 테슬라의 경우에, 양성자는 자기회전 비율이 42.576메가헤르츠/테슬라여서, 자기 모멘트를 90도(1.57라디안)와 180도(3.14라디안) 회전시키는 데 필요한 지속 시간은 5.87 마이크로초와 11.7마이크로초로 계산된다.

원자핵 스핀들이 90도 회전한 다음, 회전 자기장이 그쳤다고 가정해 보자. 실제의 자석에 놓여 있을 때, 시료에 담긴 스핀들은 약간씩 다른 자기장 세기(불균일 자기장)를 경험하기도 한다. 강한 자기장을 만나면 빠르게, 약한 자기장을 만나면 느리게 라모 진동수에 맞춰 회전 자기장 없이 "자유롭게" 축돌기 운동을 거듭한다. …실제 자석에서 스핀들은 조금씩 다른 각속도를 갖게 되어, 제각기 위상[특정 시점의 위치를 라디안으로 표시한 양] 차이를 보이며, '순純 자기 모멘트'의 양은 시간이 지나면서 점점 더 줄어든다.

1949년, 일리노이즈 대학교 박사과정 학생이던 어윈 한(1921-2016)은 연속으로 변하는 파동 형태의 회전 자기장 대신 불연속으로 변하는 직사각형 모양의 펄스 두 개를 사용해서 원자핵 자기공명 실험을 처음 시험했다. 자기 모멘트를 90도 회전시키는 첫 번째 펄스를 보내고, '펄스 간격'의 시간이 지난 다음 다시 90도 회전시키는 두 번째 펄스를 보냈다.

어윈 한의 펄스 방식에 따르면, 정지 자기장이 일정하게 계속 유지되는 동안 펄스 켜기와 끄기를 반복하여, 원자핵 스핀들은 라모 진동수로 회전하는 자기장을 경험했다. 라디오파 펄스가 더해지고 바로 이어서, 일시적으로 진동하는 모습의 자기공명 신호가 관측되었다. 어윈 한은 그 일시적인 진동 모습을, 니콜라스 블룸베르헌이 관측했던 "출렁거리며 소멸되는 파도 모습"에 해당한다고 판단했다.
…스핀들 사이에서 일어나는 상호작용 또는 정지 자기장의 작은 불균일성으로 인해서, 자기공명 신호가 "자유롭게" 유도된 다음에 점점 줄어들며 약해지는 모습, "자유 유도 감쇠"가 나타난다.

첫 번째 펄스 바로 뒤에서 나타났던 '자유 유도 감쇠'의 신호는 놀랍게도 그로부터 '펄스 간격'의 '두 배'의 시간이 지나면서 다시 나타났다. 어윈 한은 첫 번째 펄스로부터 '펄스 간격'의 '두 배'의 시간이 지나면서, 마치 거울에 비쳐 보이듯이 다시 나타난 두 번째 '자유 유도 감쇠'를 [235]"스핀 메아리"라고 이름을 붙였다.

…스핀들이 한꺼번에 동일한 시간을 두고 되돌려 그들의 존재를 세상에 알리는 "메아리"였다.

마치 산 앞에서 고함친 소리가 산까지 간 다음에 시간이 그만큼 지나고 다시 산울림 메아리를 되돌려 주는 것과도 같았다.

90도-90도의 펄스를 사용했던 어윈 한에 이어서, 에드워드 퍼셀의 하버드 대학교 박사과정 학생인 허먼 카(1924-2008)는 90도-180도 펄스(뒤집기 펄스)를 새로이 개발했다.[236] 두 번째 펄스가 스핀들을 180도 뒤바뀐 반대 위치에 놓아서, 자기장의 불균일성으로 흩어졌던 수직 성분들[정지 자기장에 수직인 스핀 성분들]이 '두 배'의 펄스 간격 뒤에 다시 같은 위상으로 합쳐지는 효과를 만들어 내었다.

…스핀 메아리와 처음 자유 유도 감쇠의 비율은 펄스 간격의 시간에 대해 감소하는 지수함수의 형태로 나타났고, 그로부터 스핀-스핀 완화시간이 계산되었다.

스핀 메아리와 처음 자유 유도 감쇠 신호의 비율이 36.8퍼센트로 줄어들었을 때 소요되는 시간('두 배'의 펄스 간격)을 스핀-스핀 완화시간으로 표시했다. 지수 함수가 줄어드는 경향을 보이는 '스핀 메아리'와 '자유 유도 감쇠 신호'의 비율은 펄스 간격이 스핀-

스핀 완화시간의 1/4배, 1/2배, 1배, 2배, 3배로 늘어나면서 60.7, 36.8, 13.5, 4.98, 2.50 퍼센트로 점점 줄어든다.

스핀-격자 완화시간도 간단한 펄스를 사용해서 측정되었다. 어윈 한이 사용했던 90도-90도 펄스에서, 스핀들이 주위 격자들(분자들)과 에너지를 교환하여 열평형 상태에 도달할 때까지, 펄스 간격을 충분히 연장하면서 측정되었다. 스핀들은 첫 번째 펄스에서 수직 성분들로 모두 전환되었다가 '펄스간격'의 시간 동안 수평 성분들(정지 자기장에 평행인 성분들)이 자라면서 스핀-격자 완화시간이 측정되었다.

자유 유도 감쇠 신호가 열평형 상태 때와 비교되고 그 비율이 63.2퍼센트에 이르기까지 소요된 시간이 스핀-격자 완화시간으로 표시되었다. 스핀들은 이웃 격자들(분자들)과 에너지 교환을 통해서 처음에는 빠르게 진행되다가, 나중에는 느리게 지수함수의 형태로 열평형 상태에 이르는 경향을 보였다. 자유 유도 감쇠 신호를 열평형 상태와 비교한 비율은 펄스 간격이 스핀-격자 완화시간의 1/4배, 1/2배, 1배, 2배, 3배로 늘어나면서 22.1, 39.4, 63.2, 86.5, 95.0 퍼센트로 점점 늘어났다.
…스핀-격자 완화시간의 5배가 되면, 스핀들은 거의 열평형 상태에 도달한다.

스핀 메아리가 나타나서 자기공명 신호가 만들어지려면, 스핀들은 흩어지지 않고 어떤 형태로든 다시 같은 방향으로 모여야만 했다.

"처음 시작했을 때처럼, 스핀들은 어떻게 다시 모였을까?"

그 당시에 스핀 메아리는 신비스럽고 풀 수 없는 수수께끼였다. '자유 유도 감쇠'라는 어휘에서처럼 처음 상태로 다시 돌아가는 것은 마냥 불가능해 보였다. "비가역성"의 기본적 개념에 대해 스핀들은 마치 도전하는 것으로 비쳐졌다.

하버드 대학교에서 에드워드 퍼셀의 학생이었고, 원자핵 자기공명의 방법으로 물질 구조와 특성을 원자 단위에서 밝히는 연구에 크게 기여했던 일리노이즈 대학교 물리학과 교수 찰스 펜스 슬릭터(1924-2018)는 스핀 메아리의 출현에 대해 그의 237)『자기공명의 원리』의 교과서에서 기술했다.

…제임스 클러크 맥스웰의 영령이 스핀들을 다시 모았다!238)

연속된 펄스와 스핀 메아리는 "의료 진단 자기공명 영상"을 포함한 모든 자기공명 기술 분야에서 기초를 제공한다.

1957년, 워싱턴 대학교 물리학과 교수 리처드 노벅(1922-2010)과 그의 학생인 어빙 로우(1929-2013)는 불연속 파동인 펄스에 스핀들이 반응해서 생긴, [마치 미끄럼틀처럼 곡선의 형태로 휘어진] '자유 유도 감쇠'의 자기공명 신호가 바로 [산봉우리처럼 솟아오르는] 흡수 스펙트럼의 "푸리에 변환"이라는 사실을 실험에서 처음 239)증명했다. [리처드 노벅은 찰스 슬릭터 교수의 첫 번째 대학원생이었다].

…시간 영역에서 나타나는 물리량[측정된 자유 유도 감쇠]이 진동

수 영역에서 그것에 대응하는 물리량[스펙트럼]으로 변환되고, 그 역의 경우도 마찬가지로 성립된다.

푸리에 변환을 사용하면, 자유 유도 감쇠의 신호로부터 세기, 배음倍音, 위상과 같이 신호에 포함된 모든 파동에 관한 정보를 함께 저장해서 나중에 자기공명 신호를 다양하게 재구성하는 것이 가능했다.

…푸리에 변환은 관측을 통해 실시간으로 획득한 신호에 대해 신호처리, 신호분석, 영상처리, 거르기(필터링) 기능을 살아있게 만들었고, 현대 자기공명 기술을 "디지털 영상화"하는 일에 크게 기여했다.

푸리에 변환의 장점은 실험에 소요되는 시간에서도 두드러지게 나타난다. 10개의 종들이 내는 소리의 크기와 진동수를 분석한다고 가정해 보자. 가장 쉬운 방법은 10개의 종들을 제각기 울려서 진동수별로 소리의 진폭을 구성하는 것이다. 이것은 똑같은 실험을 10번 반복해야 하기 때문에, 마치 제각기 다른 진동수에서 자기모멘트를 일일이 관찰하는 '연속 파동' 자기공명 실험에 해당한다. 한편, 10개의 종들을 동시에 울려 측정된 '간섭 기록(인터페로그램)'을 푸리에 변환해서 한꺼번에 모든 종들에 대한 스펙트럼을 얻는 방법도 가능하다. 종들이 동시에 울리는 소리 전체로부터 푸리에 변환이 사용돼서 얻은 여러 개의 스펙트럼들을, 시간 축에 나열하면 시간에 따라 변화하는 스펙트로그램이 다시 만들어 진다. 결과를 놓고 볼 때, 푸리에 변환을 이용한 후자의 방법이 훨씬 더

효율적이다.

[240]연속 파동 방법으로 양성자 자기공명 실험을 진행한다면 보통 약 500초의 시간이 소요된다. 1헤르츠의 분해능이 요구되는 실험이라면, 90도 펄스가 지나가고 1초 안에 시료의 '간섭 기록'이 측정되며, 이어서 컴퓨터 작업으로 자기공명 스펙트럼의 분석도 가능하다. 자료 확보의 시간만 놓고 비교한다면, '푸리에 변환 자기공명'은 '연속 파동 자기공명'보다 500배나 뛰어나다. 스펙트럼을 결정하는 여러 요소들이 푸리에 변환에서는 한꺼번에 측정되지만, 연속 파동에서는 한 번에 한 개씩만 조사된다. 푸리에 변환을 거친 뒤, 양성자의 자기공명 신호대 잡음비는 서너 배 향상되는 것으로 [241]보고되었다.

9.5 자기공명 영상

1977년 7월 3일, 뉴욕시 브루클린에 위치한 뉴욕 주립대학교 다운스테이트 의과대학 병원에서 레이몬드 다마디안(1936-2022)과 마이클 골드스미스와 로렌스 밍코프는 [242]최초로 '의료 자기공명 영상'을 사용해서 살아 있는 인간의 신체를 촬영했다. 그들은 그동안 관찰해 온 원자핵 자기공명의 스핀-격자 완화시간으로부터,

"암 조직과 건강한 조직 사이에서 원자핵 자기공명 신호가 다르게 나타난다."

라는 영감을 받아서 이 [243]실험을 시작했다.

먼저 색연필로, 그리고 컴퓨터로 106개의 점들을 그대로 재구성한 영상은 심장과 폐를 포함하여 박사후연구원인 밍코프의 가슴

을 2차원 모습으로 드러냈다.

—자기공명 영상장치는 인체가 들어갈 수 있게 53인치(134센티미터)의 원통 모양의 구멍을 한가운데에 가진 초超전도 자석을 포함했다.

—자석 자기장 세기는 이론 최댓값이 0.5테슬라이고 실제 값이 0.1테슬라였으며, 인덕턴스 또는 유도계수가 61.8헨리, 최적 자기공명 진동수가 2.18메가헤르츠였다.

—제8 흉추(등뼈) 높이의, 살아있는 사람의 가슴 횡단면 사진이 논문의 뒤표지에서 재현되었고, 양성자 자기공명 신호의 세기가 색깔로 부호화되었다. 0은 짙은 파랑, 세기가 증가할수록 빨강, 노랑, 하양으로 실제 가슴 속 형상이 구성되었다.

"복셀"이라고 부르는 점을 하나씩 스캔해서 정보를 수집하고 자료를 모아가는 방법이 사용되었다. "화소 또는 픽셀"이 사진과 같은 2차원 공간의 기본 단위로서 한 점의 정보를 차지하는 '면적'에 대해 쓰인다면, 복셀은 자기공명 영상의 3차원 공간 기본 단위로서 한 점의 정보를 차지하는 '부피'에 적용되고, "부피와 픽셀"을 더한 합성어이다. [사물 또는 물체에서 점(복셀)의 정보를 하나씩 읽어 들여 디지털화해서 자료를 수집, 저장, 변환하여 영상으로 재구성하는 방법에 대해 "스캔"의 용어가 사용된다].

다마디안이 처음 자기공명 영상을 시험했을 당시, 복셀 1개에서 정보를 획득하는 시간은 2분이어서, 그의 박사후연구원인 밍코프의 몸통을 구성하기 위해 최소로 필요한 복셀 106개를 스캔하는 작업에는 거의 4시간이 소요되었다. 그러나 2년이 지나지 않아 이러한 문제도 해결이 되었다. 다마디안을 비롯하여 다른 실험실들도 복부와 몸통의 상부뿐만 아니라, 엑스선 촬영이 불가능했던 뇌의 관상과 시상의 단면을 스캔하는 '진단용 자기공명 영상'의 기술을 활용하기 시작했다.

1970년대 후반에 들어오면서, 원자핵 자기공명 영상은 엑스선 3차원 영상으로 신체를 재구성하는 "컴퓨터 단층촬영"과 거의 같은 수준에서 사용되었다. 하지만 컴퓨터 단층촬영이 엑스선에 노출되는 것과 달리, 원자핵 자기공명 영상은 방사선으로부터 자유로운 장점을 가졌는데도 불구하고,
"원자핵이 '평화'에 대해 상반되게 응용되고 있다."
라는 사회적 통념 때문에, 지금은 '원자핵'의 단어를 떼고 단순하게 "자기공명 영상"의 이름으로 불리고 있다.

'자기공명 영상'은, 신체에 조준하고 발사해서 투과되는 방사선의 일종인 엑스선과 다르게, 신체에 포함된 원자를 표적으로 삼아 외부 자기장이 유도해서 생긴 부위 차이를 관찰한다. 사용 에너지가 엑스선은 124전자볼트에서 124킬로전자볼트 사이지만, 자기공명 영상은 기껏해야 1백만 분의 4전자볼트 이하에 지나지 않는다.

엑스선, 동위원소 추적기, 내시경과 달리, 자기공명 영상은 환자에게 이온 방사선 또는 기타 신체 조직을 침범하는 위험을 노출하지 않는다. 거의 전적으로 전자 밀도에 의존하는 엑스선의 흡수보다, 물 농도에 대한 양성자 스핀 완화시간의 변화를 이용함으로써, 자기공명 영상은 다른 생체 조직들과 액체들 사이에서 매우 뚜

렷하고 큰 명도 또는 색깔 대비를 만들어 낸다.

생체 조직은 외부 자기장에 놓여서 자석 성질을 갖는 유도과정을 겪는다. 그 안에 포함된 원자핵 스핀들이 처음에는 외부 자기장 방향으로 정렬되었다가, 라디오파 펄스가 짧게 전달되고 그치면, 모두 함께 정렬된 상태로부터 벗어나며 축돌기 운동을 거듭하고, 라모 진동수에 맞춰 자기공명 신호를 수신기에 내보낸다. 함께 동조된 위상[위상 결맞음]에서 조금씩 벗어나고, '스핀-스핀 완화시간' 동안 자기공명 신호의 양은 점점 더 감쇠한다. 그리고 결국에는 둘러싼 격자들[분자들로 이루어진 열 저장소]과 에너지를 교환하며, 원자핵 스핀들은 외부 자기장에 어우러져 '스핀-격자 완화시간' 동안 평형 상태로 되돌아간다.

원자핵 자기공명 실험은 여러 생체 조직들에서 스핀 완화시간이 뚜렷하게 달라진다는 사실을 확인했다. 암을 포함한 특정한 질병들의 경우, 원자핵 스핀 완화시간은 질병과 건강 조직 사이에서 뚜렷한 차이를 내보였다.

…건강 조직 주위에서 엑스선이 거의 유사하게 흡수되어 식별이 매우 힘들었던 병소病巢[병적 변화를 일으키는 부위]의 경우에도, 오히려 차이를 드러낸 자기공명 영상은 매우 유용한 기술이었다.

1971년 3월 19일, 내과 의사였던 레이몬드 다마디안은 『원자핵 자기공명에 의한 종양 검출』의 [244]논문을 〈사이언스〉에서 발표했다. 시험용 쥐로부터 절제된 종양 조직에서 비정상적으로 긴 스핀-격자와 스핀-스핀 완화시간이 관측되었다. 그는 실험에서 6개의 정상 조직(근육, 신장, 위, 내장, 뇌, 간)과 비정상 조직(워커 암육종, 노비코프 간종양)을 각각 비교했다. 악성 조직에서 물 분자 운동이 비교적 자유로웠기 때문에, 다마디안은 스핀 완화시간을 측정해서 양성과 음성의 수술 검체를 신속히 구별하는 실험 계획을 세울 수 있었다.

—시료는 1.5밀리미터 크기였고, 전기자석의 양 극은 지름이 12인치(30.5센티미터), 자기장 세기는 0.561테슬라, 자기공명 진동수는 24메가헤르츠였고, 라디오파 펄스는 90도-180도가 사용되었다.

—정상 조직은 종양 조직보다 스핀-격자와 스핀-스핀 완화시간이 모두 짧게 나타났다.

—정상 조직의 스핀-격자 완화시간은 복근에서 0.493-0.576 초(평균 0.538초), 간에서 0.241-0.306 초(평균 0.293초), 위에서 0.214-0.360 초(평균 0.270초), 신장에서 0.423-0.541 초(평균 0.480초), 뇌에서 0.573-0.620 초(평균 0.595초)였다. 스핀-스핀 완화시간은 대부분 0.050-0.07 초(평균 0.05초)였다.

—종양 조직의 스핀-격자 완화시간은 정상 조직보다 길어서, 워커 암육종 조직에서 0.688-0.794 초(평균 0.73초), 노비코프 간암 조직에서 0.798-0.9852 초(평균 0.826초), 양성 조직에서 0.448-0,537 초(평균 0.492초), 증류수에서 2.640-2.691 초(평균 2.677초)였다. 스핀-스핀 완화시간은 워커 암육종 조직에서 0.100 초, 노비코프 간암 조직에서 0.115-0.120 초(평균 0.118초)였다.

같은 해, 존스홉킨스 의과대학 병원의 도널드 홀리스 연구진은 다마디안의 실험을 [245]그대로 따라했다. 그들은 쥐로부터 절제된 정상 부위와 종양 조직에서 양성자 스핀 완화시간이 매우 큰 차이를 보이는 것을 재확인했다. 이를 지켜본 뉴욕 주립대학교 스토니브룩의 화학자 폴 라우터버(1929-2007)는 다마디안의 실험을 되풀이했고, 뒤이어서 '새로운 생각'을 떠올렸다.

"균일한 정지 자기장과 거리에 비례하는 또 다른 자기장[자기장 기울기]을 함께 사용하면, 스핀 밀도에 비례하는 신호 차이로부터, 정상 부위와 종양 조직의 차이를 명확히 구분할 수 있다."

그는 환자 몸에서 종양 위치를 찾아내기 위해서 원자핵 자기공명을 사용할 수 있는지에 대해 세심한 주의를 기울이기 시작했다.

1973년 3월 16일, 폴 라우터버는 공간에 펼쳐진 원자들을 구석구석 촬영하듯이 원자핵 자기공명을 사용하여 물체 안을 들여다보는 방법에 관련해서, 『유도 국소 상호작용에 의한 영상 형성: 원자핵 자기공명의 이용 사례』의 [246]논문을 〈네이처〉에서 발표했다.
—[247]물을 담은 1밀리미터 지름의 가는 유리 모세관 2개가 중수重水를 담은 4.2밀리미터 지름의 유리 시험관 안에 포함된 다음, 양성자 자기공명 영상이 재현되었다.
—60메가헤르츠(1.41테슬라)의 정지 자기장에, 1센티미터마다 진동수가 700헤르츠(1만 분의 0.16테슬라)씩 증가하는 자기장 기울기가 추가돼 함께 사용되었다. 시험관에 관해서 자기장 기울기가 또

는 자기장 기울기에 수직인 시험관이, 45도씩 4회 회전되어 양성자 자기공명 신호가 측정되었다.

형식적인 의미에서, '영상'은 하나 이상의 단위량量이 공간에 펼쳐져 어떻게 변화하는지에 관련하여 정보를 제공한다. 사진은 가시광선 세기 및 진동수의 영상이고, 엑스선 사진은 방해하는 물질의 밀도를 나타내는 영상이다. 한편 자기공명 영상은 여러 방향에서 자기장이 연속으로 변하고 동시에 자기공명 진동수를 맞춰 가면서, 원자들의 공간 분포를 실물처럼 보여준다.

…균일한 정지 자기장과 거리에 비례하는 또 다른 자기장[자기장 기울기]을 함께 사용하여, 공간 변화를 일부러 일으킨 '새로운 생각'이야말로 자기공명 영상의 발명을 이끈 근본적인 통찰력이었다.

라우터버의 자기공명 영상은 새로운 기술이라는 점에서 혁신을 이끌었지만, 수집된 정보들이 지나치게 중복될 뿐만 아니라 1차원 스캔을 끊임없이 되풀이한다는 점에서 몹시 긴 시간이 소요되었다.

[248]라우터버가 〈네이처〉에서 발표한 논문이 잘 알려지기 전인 1973년 여름, 노팅엄 대학교의 피터 맨스필드(1933-2017)와 박사후연구원 피터 그란넬은 고체의 결정 구조를 연구하는 도구로서 "공간 진동수, 파수, 또는 케이" 공간의 수학 개념을 도입하면 원자핵 스핀들의 공간 분포를 영상으로 만들 수 있으며, 엑스선을 대신할 수 있다고 생각했다. 맨스필드는 무기無機결정과 희박금속 합금을 연구하던 고체 물리학자였다. 고체의 경우에, 이웃 원자핵들 사이 자기 쌍극자 상호작용으로 인해서 원자핵 자기공명 스펙트럼

은 항상 넓게 나타나는 것이 그동안 지적되어온 문제였다. 스펙트럼이 넓게 나타나면 분해능이 낮아져서 시료의 공간 분포를 세밀하게 관찰하기가 어려웠다.

공간 진동수는 파장의 역수이고 영상 처리 기술에서 사용되는 용어이다. 진동수가 시간에서 얼마나 '자주' 반복되는지를 보여주는 것처럼, 공간 진동수는 공간에서 얼마나 '촘촘히' 거듭되는지를 보여준다. 물체가 실제로 놓여 있는 자기공명 영상의 공간과 다르게, 자기회전 비율과 자기장 기울기의 곱을 시간에 대해 적분해서, 공간 진동수의 시간 변화는 구성된다. 이와 같이 구성된, 공간 진동수의 공간과 영상에 관한 관계식이 바로 2차원 푸리에 변환이다. [공간 진동수의 단위는 사이클/미터이고, 영상 처리 기술에서는 보통 사이클/밀리미터가 사용된다].

공간 진동수의 공간에서 각기 다른 점들은 영상에서 서로 다른 픽셀들과 1대1 대응되지 않는다. 대신, 공간 진동수의 공간에서 각 점은, 영상에서 모든 픽셀의 공간 진동수와 위상에 관련된 정보를 담고 있다. 물론 역逆의 관계도 존재한다. 영상에서 각 픽셀은 공간 진동수의 공간에서 모든 점으로 "본뜨기 또는 매핑"이 가능하다.

1973년 8월 24일에 제출된 『고체에서 원자핵 자기공명 에돌이?』의 [249]논문에서, 맨스필드와 그란넬은 스펙트럼 선폭을 줄여 분해능을 높이기 위해서 매우 정교한 라디오파 펄스들의 조합을 만들었고, 자기장 기울기를 함께 사용하여 결정의 공간 구조를 조사했다.
—입방 격자의 [001] 축을 따라서 자기장 기울기가 0.1테슬라/센티미터, 격자 상수가 3옹스트롬, 밀러 지수가 1이었다.
—밀러 지수가 1일 때 에돌이(회절) 봉우리는 회전 자기장 90도 펄스가 시작되고 약 8초 만에 나타나야만 했다. 원자핵 자기공명 신호를 관측하기 위해 필요한 스펙트럼의 선폭은 0.1헤르츠였다.

분해능이 높아질수록 거리에 대한 자기장 변화, 자기장 기울기가 일정하게 더 커져야 했다. 격자 상수가 3옹스트롬인 결정 구조에 대해 90도 펄스가 사용되고, 스핀-스핀 완화 시간이 약 50마이크로초인 자유 유도 감쇠의 신호가 관찰되기 위해서는, 1만 테슬라/센티미터의 자기장 기울기가 필요했다. 당시 기술로는 불가능했다. 사실, 맨스필드는 원자핵 자기공명을 사용해서 원자들로 이루어진 결정 구조를 눈으로 보려고 했다.

맨스필드와 그란넬은 탄소, 수소, 산소로 이루어진 고체 결정, 250)캠퍼의 얇은 평면들을 약 1밀리미터 간격으로 배열하여 단순한 인공 결정을 만들었다. 많은 양의 수소를 포함하는 캠퍼는 일부 동위원소를 제외하고는 탄소와 산소의 원자핵 자기공명 신호를 만들지 않는 것으로 알려져 있었다.
—논문에서 사용된 펄스 조합은 자기장 기울기의 방향을 적절하게 뒤집으면서 쌍극자 및 화학 이동을 제거하고 반사 대칭 사이클을 적용하도록 설계되었다. 펄스 조합에 사용된 지연 시간은 자기장 기울기의 순간적 교체를 나타냈다.
—지연 시간은 6.4마이크로초였고, 측정된 스핀-스핀 완화시간은

44마이크로초였다. 3개와 5개의 층들로 이루어진 캠퍼 평면들에 수직인 방향으로 1센티미터마다 0.77가우스씩 변하는 자기장 기울기가 더해지면서 자유 유도 감쇠 신호가 측정되었다. 자기장 기울기가 더해졌을 때, 1차 '에돌이' 봉우리가 3개와 5개씩 각각 나타났다.
—측정된 자유 유도 감쇠의 푸리에 변환이 계산되었다. 자기공명 스펙트럼의 선폭은 150헤르츠였고, 푸리에 변환의 결과가 실제 평면의 간격에 대해 10퍼센트 오차 범위 내에서 일치했다.

자기장 기울기의 방향을 따라 자기공명 진동수가 위치에 일정하게 비례하며 증가했고, 푸리에 변환의 결과도 원자들의 공간 분포를 그대로 반영해서 나타났다. 맨스필드와 그란넬은 푸리에 변환이 밀리미터 이하의 분해능을 갖고 개별 평면의 위치를 명확하게 구분한다는 사실을 확인했다.
…푸리에 변환으로 정보를 읽고, 획득하고, 영상을 재구성하는 속도가 빨라졌고, 자기공명 영상 기술은 한층 더 향상되었다.

맨스필드는 그들의 실험을 나중에 평가했다.
"고체에서 처음 시도된 원자핵 자기공명 '에돌이' 실험이었다."

고체 결정에서 '에돌이' 실험은 윌리엄 로런스 브래그가 1912년에 엑스선을 사용해서 결정 구조를 설명했고, 그래서 "엑스선 에돌이 실험 또는 브래그 법칙"의 이름으로 불린다.

1976년, 피터 맨스필드와 앤드류 모즐리는 선을 따라서 순서대로 읽는 [251]"선 스캔" 방법을 사용했고, 1977년 3월에는 살아있는 인간의 신체 부위에 대해 "불멸"의 자기공명 영상을 만들어 〈영국 방사선학 저널〉에서 [252]발표했다. 그 불멸의 영상물은 대학원 학생이던 앤드류 모즐리의 오른손 세 번째 손가락 사진이었다.

81년 전, 엑스선 발견으로 유명해 졌던, 독일 물리학자 빌헬름 콘라트 뢴트겐의 부인 안나 베르타 뢴트겐의 "가느다랗고 어두운 왼손 손가락뼈들"의 사진과 달리, 모즐리의 손가락 자기공명 영상은 신체 조직의 "어둡지 않고 사실적이며 입체적 형태를 더해서 내부 속 상세한 모습"까지 보여 주었다.

—앤드류 모즐리의 오른손 세 번째 손가락 가운데 뼈를 따라 여러 위치에서 스캔되어 양성자 자기공명 영상이 만들어졌다. 회전 자기장 펄스의 지연 시간이 0.5초일 때 손가락을 이루는 조직들이 가장 잘 구별되었고, 평균 한 줄당 48회씩 스캔되어 영상이 만들어지는 작업에 23분이 필요했다. 지연 시간이 0.3초로 줄어들면 대신 15분이 소요되었다.

—모즐리의 손가락은 위쪽을 향하며, 균일한 정지 자기장이 오른쪽으로 향하는 전기자석의 양 극판 사이에서 자기공명이 측정되었다. 손가락에 수직인 수평면에서 자기장 기울기는 오른쪽(동쪽)과 남쪽을 향하는 두 성분으로 구성되어, 오른쪽 성분은 0.41가우스/센티미터, 남쪽 성분은 0.34가우스/센티미터였다.

—펄스의 라디오파 진동수는 15메가헤르츠, 길이는 7.4밀리초, 최대 출력은 1와트였다. 송신기와 수신기 코일이 별도로 사용되었고, 지름이 2센티미터였다.

손가락 조직은 피부, 동맥, 얕은 굴근, 깊은 굴근, 힘줄집, 가운데 뼈 골수, 가운데 뼈 신근 인대뿐만 아니라 "놀랍게도" 신경줄기까지 총 8개 부위가 색깔별로 보여 졌다. 스핀-격자 완화시간은 깊은 굴근에서 0.3초 정도였고, 골수에서는 0.3초보다 훨씬 짧은 것으로 나타났다. 사진에서 부위별로 구별이 가능했던 것은 스핀-격자 완화시간이 다르고, 코일을 자극하는 펄스들 사이의 간격이 다르게 실험이 구성되었기 때문이었다.

맨스필드는 런던에서 열린 학회에서 참석자들에게 보여 주었던 모즐리의 사진에 대한 반응을 나중에 전했다.

"발표장에 있던 참석자들은 색깔별로 정보가 입력된 손가락 영상을 보고, 해부학적으로 매우 상세하고 구체적인 모습에 놀라움을 금치 못했다."

1977년, 맨스필드는 "[253]메아리 평면 영상"이라는 새로운 기술을 도입해서 자기공명 영상을 완전히 새로운 속도 영역으로 끌어올렸다. 메아리 평면 영상은 자기장 기울기를 급속히 전환하여, 영상에 필요한 모든 자료를 기존의 방법보다 100배 이상 빠르게, 1초 이내에 수집하도록 만들었다. 주로 심장 모습을 담기 위해서 이 방법이 개발되었고, 관상 혈관에 첫 번째 실시간 관찰이 진행되었다. 오늘날 메아리 평면 영상의 방법은 뇌 전체를 1초에 여러 차례 스캔하는 것도 가능하게 만들었다. 환자를 빠르게 스캔함으로써 병변으로 인해 혈액 누출로 이어진 뇌종양의 원인을 의사는 정확히 찾아내고 진단하게 되었다.

맨스필드는 어윈 한이 개발한 '스핀 메아리'의 방법을 사용하면, 시료의 평면이나 전체에 단 하나의 90도 펄스만을 보내서 영상을 만들 수 있다고 제안했다. 이 기술에 대해서 "메아리 평면 영상"이라는 이름이 붙었다.

뇌기능을 실시간으로 관찰하는 인지 과학의 연구에서 메아리 평면 영상은 '기능성 양전자 방출 단층촬영'을 대체하고 있다. 혈류에 대한 민감도를 뛰어 넘어서 자기공명 영상은 상자성 특성을 통해 산소 헤모글로빈과 탈산소 헤모글로빈을 구별한다. 탈산소 헤모글로빈은 강한 상자성 특성을 띠고 있다.

최초의 임상용 자기공명 영상 장치는 1980년에 애버딘 대학교에서 만들어졌고, 1984년에 출시되었다. 건강한 조직을 해치지 않는 비침투성과 뛰어난 연軟조직의 대비성은 진단 방사선이 급격히 발전하는 결정적인 기회를 가져다주었고, 새로운 산업의 중심이 되어 성장을 이끌었다. 1980년대 후반, 맨스필드의 노팅엄 연구소와 미국 국립 보건 연구소가 공동으로, 메아리 평면 영상이 뇌 혈액 산소화 변화를 순간적으로 '본뜨기(또는 매핑)'할 수 있다고 발표했고, 이 기술이 '기능성 자기공명 영상'으로 이어졌으며, 지금은 실시간으로 인간의 뇌 활동을 조사하는 연구에 사용되고 있다.

1962년, 스위스 화학자 리처드 에른스트(1933-2021)는 취리히 연방 공과대학교에서 물리화학 박사학위를 받았고, 미국 캘리포니아 팔로알토에 본사를 둔 베리안 사社에서 연구했으며, 다시 스위스로 건너가 취리히 연방 공과대학교 교수를 역임했다. 그는 「물리화학 연구소」 연구소장을 맡으면서 원자핵 자기공명 분광학 분야를 이끌었다.

에른스트가 베리안 사에서 연구할 당시에, 주요 사안 중 하나는 원자핵 자기공명이 다른 분광 기술에 비해서 민감도가 떨어진다는 점이었다. 원자핵 자기공명에서 일어나는 에너지 변화의 크기가 매우 작아서, 낮은 농도의 시료에서는 민감도가 제한적일 수밖에 없었다. 에른스트는 매우 짧은 펄스들의 반복적인 조합을 이용해서 원자핵 스핀들이 한꺼번에 모두 단일 양자 전이가 일어나도록 자유 유도 감쇠를 이끌었다.

주요 사안 중 두 번째는 스펙트럼을 이루는 여러 성분들을 분리해 내는 일이었다. 라디오파 펄스가 작동하여 원자핵들로부터 여러 진동수의 신호들이 더해져 나타난 자유 유도 감쇠는 스펙트럼의 특징에 관한 여러 기본 정보를 포함하지만, 곧바로 해석할 수 없는 복잡한 형식으로 구성되어 있었다. 에른스트는, 선형 응답 이론에 따라, 짧은 라디오파 펄스에 대한 반응이 스펙트럼의 푸리에 변환이라는 생각에 이르렀다.

푸리에 변환의 방법은 에른스트가 개발할 때 그렇게 큰 주목을 받지 못했다. 지금은 널리 알려져 있지만, 그 당시에 덜 알려졌던 "푸리에 변환 원자핵 자기공명 분광학"의 개념에 관해서, 리처드 에른스트와 웨스턴 앤더슨이 미국의 〈물리화학 저널〉에 제출한 논문은 두 번이나 거부를 당했다. 1966년 1월이 돼서야 그들은 미국의 〈과학기기 리뷰〉에서 『푸리에 변환 분광학의 자기공명 응용』의 논문을 가까스로 [254]발표했다.

1991년에 리처드 에른스트는 『고高분해능 원자핵 자기공명 분광학 방법의 개발에 대한 공로』로 노벨 화학상을 받았고, 2003년에 폴 라우터버와 피터 맨스필드는 『자기공명 영상의 발견』으로 노벨 생리학의학상을 수상했다.

2003년 12월 3일, 노벨 위원회가 노벨 생리학의학상을 발표하고 사흘이 지난 뒤, 미국과 스웨덴의 주요 신문에 전면 광고가 등장했다. 그 광고에는,

"정정해야 할 부끄러운 잘못,"

이라는 문구가 적혀 있었다. 그것은 다마디안을 노벨상에서 제외한 것에 대해 비난하는 광고였다. 그 당시에 다마디안은 자기공명 영상 장비를 제조하는 포나 사社 회장이었다.

사실, 다마디안의 분노는 1973년에 라우터버가 '물을 담은 유리관'의 모습을 〈네이처〉에서 발표할 때부터 시작되었다. 라우터버가 그의 논문에서, 1971년에 다마디안이 〈사이언스〉에서 발표했던 『원자핵 자기공명에 의한 종양 검출』의 논문을 인용하지 않았기 때문이었다.

다마디안의 분노에 라우터버는 설명했다.

"대신, 나는 살아있는 동물의 종양에 관련된 논문만, 참고문헌으로 인정하여 인용했을 뿐이다."

다마디안의 1971년 논문은 죽은 쥐에서 종양 조직을 떼어내 스핀-격자와 스핀-스핀 완화시간을 측정한 자료를 사용했다.

1974년에 다마디안은 암 증식을 관찰하는 인체 스캔용으로 원자핵 자기공명 기기의 특허를 승인받았고, 1988년에는 라우터버와

함께 '국립 기술 메달'을 미국 대통령 로널드 레이건으로부터 수상했다.

9.6 자기공명 영상 스캐너

신체에 조준되어 투과하는 엑스선과 다르게, 신체 안에 포함된 원자들의 변화를 자기공명 영상은 신체 바깥에서 관찰한다. 컴퓨터 단층촬영이 엑스선을 발사해서 그림자를 비추는 "능동형"이라면, 자기공명 영상은 원자들로부터 방출되는 에너지를 받아서 보이고 건강한 조직을 해치지 않는 "비非침투형"이다.

몸속 물 분자에 포함된 수소 원자핵, 양성자의 자기공명 신호를 눈으로 보는 것은 마치 93.1메가헤르츠의 주파수에 맞춰 에프엠 방송국으로부터 송신된 전파를 안테나로 수신하여 음악을 듣는 것과 비슷하다. 고요하게 머무르던 자기장에서 양성자의 라모 진동수에 맞춘 라디오파 펄스를 송신기 코일이 짧은 순간 터트리면, 함께 모였던 양성자들은 흩어졌다 다시 모이고, 라모 진동수에 맞춘 에너지가 바깥으로 뿜어 나오며, 스핀 메아리 되어 수신기 코일로 되돌아와서, 몸속 보이지 않던 원자들의 모습이 낱낱이 그대로 드러난다.

조그만 터널처럼 보이는 '자기공명 영상 스캐너는 그 안을 통과하는 신체를 주의 깊게 살펴본다. 통과하기 전에 자성체 금속들은 모두 바깥에 맡겨 두어야 한다. 스캐너 종류에 따라 금속 냄새, 쿵쿵거리는 시끄러운 소리가 들리기도 하지만 안전성 연구는 이미 충분히 다 마친 상태이다.

자기공명 영상이 스캔될 때 가장 자주 찾는 표적물은 생체 조직에서 대부분 볼 수 있는 수소 원자핵, 양성자이다. 스핀 양자수가 1/2인 양성자의 자기회전 비율이 42.577메가헤르츠/테슬라이어서, 1.5테슬라 또는 3테슬라의 자석을 안에 포함한 자기공명 영상 스캐너는 각각 64[42.577과 1.5의 곱] 또는 128 메가헤르츠[42.577과 3의 곱]의 라디오파 진동수를 사용한다. 일반 진단용 장치의 경우, 자기장 세기가 0.2테슬라(8.5메가헤르츠)와 7테슬라(298메가헤르츠) 사이에서 자석이 작동되고, 진동수가 높을수록 초전도 자석이 그 안에서 사용된다.

원자들이 정지 자기장에 가지런히 늘어서는 성질은, 마치 나침반의 금속 바늘이 지구 자기장에 맞춰서 정렬하는 것과 유사하다. 지구 자기장의 세기는 0.25-0.65 가우스이고, 1가우스는 1만 분의 1테슬라이다.

255)미국 미네소타 대학교 자기공명 연구센터에는, 연구용으로 세계 최대인 10.5테슬라(447메가헤르츠) 스캐너가 설치되어 있다. 길이가 4.1미터, 넓이가 3.2미터, 가운데 구멍이 0.88미터인 원통 모양이고, 자석 무게만 보잉 737 항공기의 3배로서 110톤이다. 2013년에 처음 설치되었지만, 동물 시험과 자기장을 높이는 작업에 4년이 소요되었고, 현재는 인체 사용을 위해서 연구가 진행되고 있다. 볼기뼈 절구를 보호하는 가느다란 연골을 시험용으로 스캔된 사진은, 매우 복잡하고 자세한 모습까지 보여줄 만큼 높은 분

해능을 확인해 주었다. 가격이 1천4백만 달러에 이르는 10.5테슬라 스캐너는 이미 자기공명 영상 연구에서 새로운 영역에 들어서고 있다.

오늘날 대부분 병원들은 1.5 또는 3.0 테슬라의 진단용 스캐너를 사용한다. 연구용으로 7테슬라 스캐너를 사용하는 병원도 수십 곳에 이르고 있으며, 미국과 유럽은 이미 진단용으로 그 사용을 허가한 상태이다. 더욱이, 10테슬라가 넘는 3대의 스캐너가 현재 인체 사용을 위해서 기다리고 있다. 미네소타 대학교에서 운용 중에 있는 10.5테슬라 장비 이외에도, 11.7테슬라(500메가헤르츠) 연구용 스캐너가 프랑스 파리-사클레 뉴로스핀 센터와 미국 국립보건원에서 각각 준비되고 있으며, 14테슬라(600메가헤르츠) 스캐너도 설치가 고려되고 있다.

자기장이 강해지면 '신호대 잡음비'가 늘어나서, 사람의 신체를 스캔하는 분해능도 그만큼 높아지거나 또는 분해능은 그대로 유지되고 대신 스캔하는 시간이 줄어드는 장점이 더해진다. 3테슬라 자기공명 영상 장치는 1밀리미터의 크기까지 뇌를 속속들이 들여다 볼 수 있고, 7테슬라 장치는 0.5밀리미터 부위를 식별하여 인간의 대뇌피질 안에서 기능 요소들을 세밀히 구분하며, 살아있는 인간 뇌의 신경 집합체에서 정보가 어떻게 전달되는지를 주의 깊게 관찰한다. 더 나아가서, 14테슬라 스캐너는 7테슬라 장치보다 분해능이 두 배인 0.25밀리미터의 크기까지 구별이 가능할 것으로 예측된다.

자기장 세기에 비례해서 장치 크기, 가격, 안전성과 관련된 기술의 문제가 증가하지만, 7테슬라 스캐너는 이미 신경과학과 임상 치료용으로 그 목적을 달성하고 있다. 임상 의사는 뇌심부 자극 치료를 위해서 보다 정확하게 전극을 연결하고, 이전보다 이른 단계에서 골관절염을 찾아낸다.

작은 움직임에도 민감하게 반응해서 머리뼈 안에 있는 뇌가 무의식적으로 움직이는 동작도 찾아내는 고분해능 스캐너는 안전성 위협을 미리 대비하면, 대신 큰 "축복"을 인간에게 안겨준다.[256] 인간의 뇌에서 높은 인지도를 담당하는 대뇌피질은 바깥 부분 3밀리미터 두께에 있으며, 6개 층으로 이루어져 있다. 각 층마다 담당하는 역할도 고유하게 나눠져서, 뇌의 여러 층에서 들어오는 입력 신호를 다루고 정보를 처리하며, 뇌의 각기 다른 부분으로 출력 신호를 내보내기도 한다. 실제로, 자기공명 영상은 [257]뇌의 여러 층에서 일어나는 저마다의 활동을 측정하여 어떤 절차에 따라 정보가 처리되고 전달되는지 상세히 보여준다.

7테슬라 스캐너를 사용하면서는, 다발성 경화증 증상과 진행에 관련해서 더 많은 사실들이 밝혀졌다. 새로 도입된 치료제가 운동 결핍의 진행 속도를 늦추는 연구에 많은 혜택을 주었고, 인지 장애의 발견은 환자의 기대 수명과 삶의 질 향상으로 이어진다는 새로운 사실도 처음으로 확인되었다. 그동안 이와 같은 증상을 보이는 많은 환자들이 주의력 결핍 과잉 행동 장애와 유사한 증후군을 가졌는데도 불구하고, 어떻게 그것이 가능했는지에 대해서 전에는 전혀 알려지지 않았었다.

258)여태까지 관찰이 불가능했던 실행 기능, 그리고 주의 집중을 담당하는 부위인 배외측 전전두엽 피질의 병변[병이 원인이 되어 일어나는 생체의 변화]도 7테슬라 스캐너를 사용하면 미리 알아차릴 수 있다. 이런 종류의 병변을 눈으로 직접 관찰하는 것이 지금까지 매우 어려웠지만, 앞으로는 환자들이 인지 증세를 보이는 이유를 설명하고, 인지 기능과 병변 위치의 관계를 살펴보는 방법도 가능해질 것이다.

한때는 강력한 현미경으로 사진 촬영된 얇은 사체 시료에서만 관찰이 가능했던 작업을, 이제는 자기공명 영상 스캐너가 대신 실시간으로 제공하고 있는 셈이다. 캐나다 런던에 있는 웨스턴 대학교 「로바츠 연구소」의 신경 영상 과학자 라비 메논은 설명했다.

"자기공명 영상 스캐너는, 우리가 온전한 인간의 뇌에서 여태껏 가져본 적이 없는 유일한 창窓이다."

마이클 패러데이가 실체를 찾으려고 온갖 노력을 기울였던 기체 방전, 빛과 자기장의 연구는 율리우스 플뤼커와 윌리엄 크룩스의 음극선 실험, 피터르 제이만의 분광 효과, 조지프 존 톰슨과 어니스트 러더포드의 전자와 원자핵 발견, 닐스 보어의 원자모형으로 끊임없이 발전되어 앞으로 나아갔다. 이어서 전자와 원자핵의 스핀 측정은 독일에서 슈테른과 게를라흐, 네덜란드에서 호르터르가 시작했고, 미국에서 라비와 퍼셀과 블로흐와 블룸베르헌이 꽃을 피워 자기공명과 레이저 분광학, 그리고 양자기계를 낳았다.

지금도 피타고라스의 정수들에 담긴 비밀은 쉬지 않고 계속된다.

물리 상수 및 단위

빛 속도 299,792,458 미터/초
플랑크 상수 6.62×10^{-34} 줄/초
볼츠만 상수 1.38×10^{-21} 줄/켈빈
단위
전자 전하 1.60×10^{-19} 쿨롬
보어 마그네톤 927.40×10^{-34} 줄/테슬라
원자핵 마그네톤 5.05×10^{-27} 줄/테슬라
미세구조 상수 1/137
뤼드베리 상수 10,973,731/미터 또는 3.29×10^{15} 헤르츠 또는 2.18×18^{-18} 줄 또는 13.6 전자볼트
보어 반경 0.53×10^{-10} 미터
전자 질량 9.11×10^{-31} 킬로그램
전자 전하질량 비 -1.76×10^{11} 쿨롬/킬로그램
양성자 질량 1.67×10^{-27} 킬로그램
양성자-전자 질량 비율 1,836
아보가드로 수 6.02×10^{23}/몰

10,000 가우스 1 테슬라
1 정전기 단위 3.335×10^{-10} 쿨롬
1 전자기 단위 10 쿨롬
1 전자볼트 1×10^{-19} 줄
1 원자 질량 단위 1.66×10^{-27} 킬로그램
1 기압 101,325 파스칼
1 파스칼 1 뉴턴/미터^2
1 나노미터 1×10^{-9} 미터
1 옹스트롬 0.1 나노미터
1 마이크로미터 1×10^{-6} 미터
1 인치 2.54 센티미터
1 피트 12 인치 또는 30.48 센티미터
1 리터 1,000 입방 센티미터
3.14 라디안 180 도

참고 문헌

1) Stephen Hawking, "On the Shoulders of Giants", IX, Running Press (2002).
2) Brian Greene, "The Elegant Universe", 87, Vintage Books, A Division of Random House, Inc. (New York) (1999).
3) Lucretius, "On the Nature of the Universe" (translated by Ronald Melville), Vol. 2, 114-141, Oxford University Press (2008).
4) Robert Brown, Phil. Mag. 4, 161 (1828), Phil. Mag. 6, 161 (1829).
5) A. Einstein, Ann. Phys. 17, 549 (1905).
6) Richard P. Feynman, Robert B. Leighton, Matthew Sands, "The Feynman Lectures on Physics", 1-2, Addison-Wesley Publishing Company (1963).
7) Richard Phillips Feynman, "QED: The Strange Theory of Light and Matter", 113, Princeton University Press (1985).
8) William Prout, Annals of Philosophy 6, 321 (1815).
9) 영어로 protyle이고, prototype과 같이 쓰인다.
10) E. Turner, Phil. Trans. 119, 291 (1929).
11) E. Turner, Phil. Trans. 123, 523 (1833).
12) 기본전하 상수는 표준 단위에서 1.6×10^{-19}쿨롱이다.
13) Bohr, Phil. Mag. 25, 10 (1913).
14) Darwin, Phil. Mag. 27, 499 (1014).
15) W. Marsden, Phil. Mag. 27, 824 (1914).
16) 마즈든이 불렀던 이름은 "H-입자"였고, 러더포드는 논문에서 수소 원자와 구별하기 위해 'H-원자'라고 적었다.
17) E. Rutherford, Phil. Mag. 37, 537 (1919).
18) E. Rutherford, Phil. Mag. 37, 562 (1919).
19) E. Rutherford, Phil. Mag. 37, 571 (1919).
20) E. Rutherford, Phil. Mag. 37, 581 (1919).

21) 공기의 온도와 압력이 섭씨 20도와 101,325파스칼이었고, 알파 입자의 비행거리는 세 가지 기체에서 같도록 조절되었다.
22) 헬륨 원자핵이 4개의 수소 원자핵과 2개의 전자가 결합되어 포함된다고 가정되었다.
23) William J. Pope, “In Papers of Ernest Rutherford”, Cambridge Uniersity Library (March 11, 1919).
24) The Cardiff Meeting of the British Association, Nature 105, 780 (1920).
25) Ernest Rutherford, Proc. Roy. Inst. 24, 585 (1925).
26) Ernest Rutherford, Proc. Roy. Soc. A 97, 374 (1920).
27) 원자핵 바깥에 있는 전자들 외에, 원자핵 안에도 전자들이 별도로 포함되었다고 가정되었다.
28) 양성자는 양의 기본전하이고, 전자는 음의 기본전하로서, 양성자의 개수에서 전자의 개수를 뺀 수이다.
29) E. Rutherford, "Nuclear Constitution of Atoms", Bakerian Lecture (June 3, 1920).
30) 양성 기본전하가 2개인 원자핵으로 발견되었지만, 실제로 수소 원자의 동위원소 중에서 질량수 3에 해당하는 원자핵은 양성 기본전하 1의 삼중수소 원자핵이다.
31) E. Rutherford, Proc. Roy. Soc. A.97, 374 (1920).
32) William Sutherland, Phil. Mag. 47, 269 (1899).
33) William Harkins, Phil. Mag. 42, 249 (1921).
34) 영국 화학자로서 질량 분석기를 발명해서 1922년 노벨 화학상을 받았다.
35) 스코틀랜드 출신의 물리학자이고, 구름상자를 발명해서 연구한 결과로 1927년 노벨 물리학상을 받았다.
36) 아인슈타인의 일반 상대론을 전 세계에 알렸고, 1919년 5월 29일 개기일식을 관찰해서 일반 상대성 이론을 증명했다.
37) 영국 물리학자로서 비정질 반도체와 같은 정렬되지 않은 물리계의 전자 구조를 연구해서 1977년 노벨 물리학상을 받았다.
38) 세계에서 최초로 설립된 국가표준기관으로 현재에는 “독일연방 물리

기술청"으로 알려져 있다. 한국 표준 과학 연구원과 비슷한 역할을 한다.
39) W. Bothe, H. Becker, Z. Phys. 66, 289 (1930).
40) H. Becker, W. Bothe, Z. Phys. 76, 421 (1932).
41) H. C. Webster, Proc. Roy. Soc. A136, 428 (1932).
42) I. Joliot-Curie, C. R. Acad. Sci. Paris, 193, 1412 (1931).
43) F. Joliot-Curie, C. R. Acad. Sci. Paris, 193, 1415 (1931).
44) 1메가전자볼트는 1백만 전자볼트이다.
45) I. Joliot-Curie, F. Joliot-Curie, C. R. Acad. Sci. Paris, 194, 273 (1932).
46) "Recherches sur les rayons alfa du polonium, oscillation de parcours, vitesse d'émission, pouvoir ionisant."
47) I. Curie, C.R. Acad. Sci. Paris, 193, 1412 (1931).
48) 광자와 전자의 충돌처럼, 파동과 입자의 비탄성 충돌을 콤프턴 산란이라고 부른다.
49) J. Chadwick, J. E. R. Constable, E. C. Pollard, Proc. Roy. Soc. A, 130, 463 (1931).
50) 1퀴리는 라듐 1그램의 양에서 방출되는 방사선 양이고, 1초에 3.7백억 개의 원자핵이 붕괴된다. 표준 단위는 베크렐[Bq]이다.
51) J. Chadwick, Nature 129, 312 (1932).
52) 섭씨 21도와 1기압의 조건을 표준 온도 압력이라고 정의한다.
53) J. Chadwick, Proc. Roy. Soc. A136, 692 (1932).
54) Ferdinand Kuhn, Jr., Chadwick Calls Neutron 'Difficult Catch'; His Find Hailed as Aid in Study of Atom; CALLS NEUTRON 'DIFFICULT CATCH', New York Times (Feb. 29, 1932).
55) J. Chadwick, M. Goldhaber, Proc. Roy. Soc. A. 151, 479 (1935).
56) 1원자 질량 단위는 탄소-12의 질량을 12로 나눈 양이고, 에너지 단위로 931.50메가전자볼트이다.
57) The NIST Reference on Constants, Units, and Uncertainty.

58) 물질에 흡수된 에너지 양.
59) K. Shahri, L. Motavalli, H. Hakimabad, Hellenic Journal of Nuclear Medicine 14, 110 (2011).
60) F. Yang, W. Chang, J. Li, H. Wang, J. Chen, C. Chang, J. of Nucl. Med. 55, 616 (2014).
61) The 37" Cyclotron-End of an era, U. of Liverpool Recorder 29, April 1962.
62) 영국 단위의 [톤]: 1톤은 2,000파운드 또는 907킬로그램이다.
63) 1테라전자볼트는 1,000기가전자볼트이고, 1기가전자볼트는 10억 전자볼트이다.
64) Alex Knapp, "How Much Does It Cost To Find A Higgs Boson?", Forbes, Science (July 5, 2012).
65) 국제 열핵융합 실험 반응로(ITER).
66) Bill Bryson, A Short History of Nearly Everything, Doubleday (2003).
67) L. W. Alvarez, F. Bloch, Phys. Rev. 57, 111 (1940).
68) M. A. B. Beg, B. W. Lee, A. Pais, Phys. Rev. Lett. 13, 514 (1964).
69) Örsted, Johannis Christianis, Experimenta circa effectum conflictus electrici in acum magneticam [Experiments regarding the effect of electrical conflict on a magnetized needle], Copenhagen, Denmark (1820): John Christian Oersted, Ann. Phil. 16, 273-276 (1820).
70) André-Marie Ampère, "Théorie des phénomènes électro-dynamiques, uniquement déduite de l'expérience" (1826).
71) H. Lorentz, "The theory of Electrons and Its Applications to The Phenomena of Light and Radiant Heat", Leipzig: G. G. Teubner (1906).
72) A. Einstein, W. J Haas, Proc. Roy. Acad. Amsterdam. 181, 696 (1915).

73) O. W. Richardson, Phys. Rev. 26, 248 (1908).
74) A. Sommerfeld, Ann. Phys. 51, 1 (1916).
75) 현대 물리학에서, 궤도 양자수는 주양자수보다 적고, 0을 포함한다.
76) 바닥상태에서 수소 원자의 반지름.
77) 교과서에서는 "축퇴縮退"의 단어를 사용하고 있다.
78) B. Friedrich, D. Herschbach, Phys. Tod. 56, 53 (2003).
79) Interview of Otto Stern by Res Jost, 2 December 1961, tape recording, ETH-Bibliothek Zürich (CH-001807-7 Hs 1008:8).
80) T. S. Kuhn (ed.), AIP oral history interviews. Otto Stern Interviewed (1962).
81) A. Einstein, Ann. Phys. 35, 898 (1911).
82) O. Stern, Z. Phys. 14, 629 (1913).
83) Albert Einstein, Otto Stern, Ann. Phys. 345, 551 (1913).
84) Max Planck, Ann. Phys. 37, 642 (1912).
85) A. Eucken, Akademie der Wissenschaften, Berlin, Physikalische-mathematische Klasse, Sitzungsberichte, 141-151 (1912).
86) A. Einstein, O. Stern, Ann. Phys. 40, 551 (1914).
87) P. W. Milloni, M. L. shih, J. Phys. 59, 684 (1991).
88) F. Simon, Nature, 133, 529 (1934).
89) W. Heisenberg, Z. Phys. 43, 172 (1927).
90) 아인슈타인은 자신을 무신론자이기보다 신앙이 없는 사람으로 분류했다.
91) Alice Calaprice, "The Expanded Quotable Einstein", Princeton University Press, 218 (2000).
92) Interview with M. Born by P. P. Ewald at Born's home (Bad Pyrmont, West Germany) June 1, 1960, session III. Niels Bohr Library & Archives, American Institute of Physics, College.
93) L. Dunoyer, le Radium, 8,142 (1911).
94) 약 2.25와 7.5토르에 해당한다. 1토르는 760 분의 1기압이다.
95) 제곱평균제곱근이라고도 부르고, 통계적인 방법을 고려해서 계산하기

때문에 "평균"보다 더 정확하다.
96) F. Paschen, "Beurteilung der Dissertation GERLACHs durch PASCHEN von 20 January 1912", Universitäts Archiv Tübingen, 136/34 (1912).
97) W. Pauli, Über das Modell des Wasserstoff-Molekülions (PhD thesis), Ludwig-Maximilians-Universität München (1921).
98) M. Born, My Life: Recollections of a Nobel Laureate, Scribner, 78, New York (1978).
99) 참조 37)과 동일하다.
100) W. Gerlach, O. Stern, Z. Phys. 8, 110 (1922).
101) 표준 단위에서, 전자 전하와 축소 플랑크 상수의 곱을 2배의 전자 질량으로 나눈 양이다.
102) W. Schütz, Physikalische Blätter 25, 343 (1969).
103) The Niels Bohr Archive in Copenhagen and AIP Emilio Segré Visual Archives.
104) W. Gerlach, O. Stern, Z. Phys. 9, 349 (1922).
105) W. Gerlach, Phys. Blätter 25, 412 (1969); W. Gerlach, Phys. Blätter 25, 472 (1969).
106) A. Einstein, P. Ehrenfest, Z. Phys. 11, 31 (1922).
107) J. Schwinger, Bertold-Georg Englert (Ed.), Quantum mechanics: symbolism of atomic measurements, Berlin (Springer) (2001).
108) R. Feynman, The Feynman Lectures on Physics, Vol. 2, 35, Addison-Wesley (1963).
109) 주양자수가 1인 상태.
110) John Archibald Wheeler, Kenneth Ford, "Geon, Black Holes, and Quantum Foam", W. W. Norton & Company (2000).
111) James Clerk Maxwell, W. D. Niven (Edit.), "The Scientific Papers of James Clerk Maxwell", Vol 2, 790, Cambridge University Press (1890).
112) Bence Jones, "The Life and Letters of Faraday", Longmans,

Green, and Company (1870).
113) John Kerr, Phil. Mag. 50, 337 (1875).
114) Remmelt Sissingh (1858-1927년): 레이던 대학교에서 자기-광학 현상에 관한 논문으로 박사학위를 받았고, 암스테르담 대학교 물리학과 교수였다.
115) P. Zeeman, Versl. Kon. Ak. Wet. 5 181 (1896). P. Zeeman, Phil. Mag. 43, 226 (Engl. transl.) (1897).
116) 독일 화학자 로베르트 빌헬름 분젠(1811-1899년).
117) ZA 313, p63. The Zeeman Archive (ZA) is kept in the Rijksarchief in Noord-Holland (Haarlem).
118) A. J. Kox, H. F. Schatz, A Living Work of Art: The Life and Science of Hendrik Antoon Lorentz, Oxford University Press (2021).
119) Thomas Preston, The Scientific Transactions of the Royal Dublin Society. 6, 385 (1898).
120) Thomas Preston, Phil. Mag. 45, 325 (1898).
121) Thomas Preston, Phil. Mag. 47, 165 (1899).
122) F. Paschen, E. Back, Ann. Phys. 39, 897 (1912).
123) 조머펠트의 궤도 양자수로는 3.
124) 조머펠트의 궤도 양자수로는 2.
125) 조머펠트의 궤도 양자수는 현대 값보다 1이 적었다.
126) A. Sommerfeld, Z. Phys. 21, 619 (1920).
127) A. Sommerfeld, Ann. Phys. 63, 221 (1920).
128) J. Mehra H. Rechenberg, "The Historical Developments of Quantum Theory", Volume 1, Springer Verlag (1892).
129) A. Landé, Z. Phys. 5, 231 (1921).
130) A. Landé, Z. Phys. 5, 398 (1921).
131) 라모 진동수는 자기회전 비율과 자기장 세기를 곱하고, 반지름이 1인 원 둘레로 나눈 양이다.
132) Arnold Sommerfeld, Sommerfled to Lande, 25 February 1921 Sources for History of Quantum Physics (SHQP4,13)

(1921).

133) David C. Cassidy, Phys. Tod. 31, 23 (1978).

134) W. Heisenberg, Z. Phys. 8, 273 (1922).

135) 독일어로 Rumpf이고, 닫힌 궤도에 배열된 전자들을 의미한다.

136) A. Landé, Z. Phys. 15, 189 (1923).

137) 랑데 공식에 의하면 $g=3/2-(1/2)(k^2-r^2)/(j^2-1/4)$. 현재 사용되는 랑데 공식은 $g=3/2-(1/2)[l(l+1)-s(s+1)]/j'(j'+1)$.

138) 현대의 궤도 양자수는 조머펠트의 궤도 양자수보다 1만큼 적어서, 주主양자수보다 적고 0을 포함한다.

139) W. Pauli, Relativitätstheorie Klein's encyclopedia V.19 via Internet Archive (1926).

140) Charles P. Enz, "No Time to Brief: A Scientific Biography of Wolfgang Pauli", Oxford University Press (2002).

141) Bretislav Friedrich, Dudley Herschbach, Phys. Tod. 56, 53 (2003).

142) Edmund C. Stoner, Phil. Mag. 48, 719 (1924).

143) 주에너지 층은 주양자수에 의해서 표시되어, 첫 번째 층은 주양자수가 1인 바닥 에너지, 두 번째 층은 주양자수가 2인 첫 번째 들뜬 에너지, 세 번째 층은 주양자수가 3인 두 번째 들뜬 에너지에 해당한다.

144) 부에너지 층은 내부 양자수에 의해서 표시된다.

145) 교과서에서는 준위準位의 용어를 쓰고 있지만, 이 책에서는 층層을 사용하고 있다.

146) 세 겹 상태의 경우에는, 내부 양자수가 궤도 양자수보다 1 또는 2만큼 적거나 같았다.

147) L. F. Bates, "Edmund Clifton Stoner 1899-1968", Biographical Memoirs of Fellows of the Royal Society. 15, 201 (1969).

148) 나중에 런던 가이스 병원의 물리학 교수가 되었다.

149) Edmund C. Stoner, Phil. Mag. 7, 63 (1929).

150) W. Pauli, Exclusion principle and quantum mechanics. Nobel lecture, delivered at Stockholm (December 13, 1946).

151) K. V. Laurikainen, Symposium on the Foundations of Modern Physics, Singapore, 209-228 (1985).
152) Karl Von Meÿenn, “Sources in the History of Mathematics and Physical Sciences”, 2, 123, Springer (1979).
153) 독일어 단어 zweideutigkeit에 해당하고, “두 개 값”이라는 의미이다.
154) W. Pauli, Z. Phys. 31, 373 (1925).
155) W. Pauli, Z. Phys. 31, 765 (1925).
156) 조머펠트와 랑데가 사용했던 것보다 1만큼 적어서, 현대 궤도 각운동량 양자수와 같다. 주양자수보다 적고, 0을 포함하는 정수이다.
157) 1925년 2월 7일 박사학위를 받았다.
158) Oral history interview with Ralph de Laer Kronig, American Institute of Physics, 1962 November 12.
159) R. Kronig, Ed. by M. Fierz, V. F. Weisskopf, "The Turning Point, in Theoretical Physics in the Twentieth Century: A Memorial Volume to Wolfgang Pauli", 22, New York Interscience (1960).
160) A. Herman and K. von Meyenn (eds.), Wolfgang Pauli, Scientific Correspondence, Volume I: 1919-1929 (Springer, New York, 1979).
161) Abraham Pais, Phys. Tod. 42, 34 (1989).
162) S. Goudsmit, Arch. Neerl. Sci. Exactes Nat. 6, 116 (1922).
163) G. E. Uhlenbeck, "Over Johannes Heckius," Comm. of the Dutch Historical Institute in Rome 4, 217 (1924).
164) D. Lang, The New Yorker, 47 (November 7 1953); 45 (November 14 1953).
165) 실제로는 비정상 제이만 효과.
166) S. Goudsmit, G. E. Uhlenbeck, Physica (Utrecht) 5, 266 (1925).
167) G. E. Uhlenbeck, Phys. Tod. 29, 43 (1976).
168) M. Abraham, Ann. Phys. 10, 105 (1903).

169) David J. Griffith, Introduction to Electrodynamics 3rd Ed. 246, Prentice Hall (1999).
170) 표준 단위에서는 $1/(4\pi\varepsilon_0)$을 더 곱해야 한다.
171) G. E. Uhlenbeck, S. Goudsmit, Naturwissenschaften 13, 953 (1925).
172) S. A. Goudsmit, talk given at the 50th an niversary of the Dutch Physical Society in April 1971, Ned. Tydschrift voor Natuurkunde 37, 386 (1971).
173) Niels Bohr Collected Works, "Letter from Bohr to Ralph Kronig", Vol. 5, 229 (March 26, 1926).
174) N. Bohr, letter to P. Ehrenfest, 22 December 1925; available at AHQP libraries of deposit.
175) S. Goudsmit, G. E. Uhlenbeck, Nature 117, 264 (1926).
176) L. H. Thomas, Nature, 117 514 (1926).
177) J. D. Jackson, Classical Electrodynamics, 3rd edition, John Wiley & Sons, Inc. (1999).
178) L. H. Thomas, Phil. Mag. 3, 1 (1927).
179) B. Friedrich, D. R. Herschbach, Phys. Tod. 56, 53 (2003).
180) T. E. Phipps, J. R. Taylor, Phys. Rev. 29, 309 (1927).
181) 현대 궤도 각운동량 양자수는 주양자수 보다 적고, 0을 포함한다.
182) R. G. J. Fraser, Proc. Roy. Soc. A114, 212 (1927).
183) O. Stern, Z. Phys. 39, 751 (1926).
184) I. I. Rabi, Z. Phys. 54, 190 (1929).
185) Niels Bohr Library and Archives, APS, College Park, MD, U. S. A. www.aip.org/history/ohilist/link.
186) 실제로는 1,836배이다.
187) O. Stern, "Nobel Lecture" (December 12, 1946).
188) Otto Stern, The Method of Molecular Rays, Nobel Lecture (December 12, 1946).
189) I. Estermann and O. Stern, Z. Phys. 85, 17 (1933).
190) I. Esterman, I. Stern, Phys. Rev. 45, 761 (1934).

191) Leonard Mandel, Phys. Rev. A 28, 929 (1983).
192) H. Schmidt-Böcking, A. Templeton, W. Trageser, Otto Sterns gesammelte Briefe. Band 2: Sterns wissenschaftliche Arbeiten und zur Geschichte der Nobelpreisvergabe, Springer Spektrum (2019).
193) '뒤집기'는 영어 단어 '플립'에 해당하고, "엎칠뒤칠(플립플롭)"의 용어가 사용된다.
194) T. E. Phipps, O. Stern, Z. Phys. 73, 185 (1932).
195) P. Güttinger, Z. Phys. 73, 169 (1932).
196) O. Frisch, E. Segrè, Z. Phys. 80, 610 (1933).
197) E. Majorana, Nuevo Cimento, 9, 43 (1932).
198) K. Popper, "Quantum theory and the schism in physics: From the Postscript to the Logic of Scientific Discovery", 22, Routledge (1989).
199) A. Pais, Rev. Mod. Phys. 51, 90 (1979).
200) L. de Broglie, New Perspectives in Physics, 150, Basic, New York (1962).
201) 세 과학자의 영어 머리글자를 따서 붙여진 "EPR paradox"라고 부른다.
202) 영어 단어 "completeness"이다.
203) Albert Einstein, Boris Podolsky, Nathan Rosen, Phys. Rev. 47, 777 (1935).
204) E. Schrödinger, Proceedings of the Cambridge Philosophical Society, 31, 555 (1935).
205) James Glanz, "In the Quantum World, Keys to New Codes", Section F, Page 1, The New York Times (May 2, 2000).
206) Alain Aspect, Philippe Grangier, Gerard Roger, Phys. Rev. Lett. 47, 460 (1981).
207) John F. Clauser, Michael A. Horne, Abner Shimony, Richard A. Holt, Phys. Rev. Lett. 23, 880 (1969).
208) M. Zukowski, A. Zeilinger, M. A. Horne, A. K. Ekert, Phys.

Rev. Lett. 71, 4287 (1993).
209) John S. Rigden, "Rabi, Scientist and Citizen", Harvard University Press (2000).
210) Gregory Breit, Isidor Isaac Rabi, Phys. Rev. Lett. 38, 2082 (1931).
211) I. I. Rabi, Phys. Rev. 49, 324 (1936).
212) I. I. Rabi, Phys. Rev. 51, 652 (1937).
213) J. Zacharias, interview with John S. Rigden, New York, 19 March 1982.
214) C. J. Gorter, Physica 3, 503, 995 (1936).
215) C. J. Gorter, F. Brons, Physica 4, 579 (1937).
216) C. J. Gorter, Henry A. Boorse, Phys. Tod. 20, 76 (1967).
217) I. I. Rabi, J. R. Zacharias, S. Millman, P. Kusch, Phys. Rev. 53, 318 (1938).
218) I. I. Rabi, S. Millman, P. Kusch, J. R. Zacharias, Phys. Rev. 55, 526 (1939).
219) 진동수는 1초에 진동하는 횟수이다.
220) J. M. B. Kellogg, I. I. Rabi, N. F. Ramsey, Phys. Rev. 56, 728 (1939).
221) I. Estermann and O. Stern, Z. Phys. 85, 17 (1933).
222) C. J. Gorter, Physica 3, 503 (1936).
223) I. I. Rabi, J. R. Zacharias, S. Millman, P. Kusch, Phys. Rev. 53, 318 (1938).
224) L. W. Alvarez, F. Bloch, Phys. Rev. 57, 111 (1940).
225) C. J. Gorter and L. J. F. Broer, Physica 9, 591 (1942).
226) N. Bloembergen, Leiden Comm. 277a, Physica 15, 405 (1949).
227) E. M. Purcell, H. C. Torrey, H. V. Pound, Phys. Rev. 69, 37 (1946).
228) N. Bloembergen, E. M. Purcell, R. V. Pound, Phys. Rev. 73, 679 (1948).

229) 1몰에 포함된 분자의 수.
230) 인덕턴스라고도 부른다.
231) C. J. Gorter, L. J. F. Broer, Physica 9, 591 (1942).
232) E, Purcell, Physica 17, 282 (1951).
233) Nikolaas Bloembergen, Encounters in Magnetic Resonances, "Nuclear Magnetic Relaxation", 41 (1996).
234) R. V. Pound, G. A. Rebka Jr., Phys. Rev. Lett. 3, 439 (1959).
235) E. L. Hahn, Phys. Rev. 80, 580 (1950).
236) H. Y. Carr, E. M. Purcell, Phys. Rev. 94, 630 (1954).
237) Charles P. Slichter, Principles of Magnetic Resonance, Springer-Verlag (1990).
238) 뉴턴이 뉴턴 법칙으로 고전 역학을 설명했듯이, 제임스 클러크 맥스웰은 맥스웰 방정식으로 고전 전자기학 이론을 설명했다.
239) I. J. Lowe, R. E. Norberg, Phys. Rev. 107, 46 (1957).
240) E. Fukushima, "S. B. W. Roeder, Experimental Pulse NMR", 42, Addison-Wesley Publishing Company (1981).
241) R. R. Ernst, W. A. Anderson, Rev. Sci. Instrum. 37, 93 (1966).
242) David Jordan, Phys. Tod. 73, 2, 34 (2020).
243) R. Damadian, M. Goldsmith, L. Minkoff, Physiol. Chem. Phys. 9, 97 (1977).
244) Raymond Damadian, Science, 171, 1151 (1971).
245) D. P. Hollis, L. A. Saryan, H. P. Morris, Johns Hopkins Med. J. 131, 441 (1972).
246) P. C. Lauterbur, Nature 242, 190 (1973).
247) 중수 분자는 중수소 원자 2개와 산소 원자 1개로 구성된다. 이에 비해서 물 분자는 수소 원자 2개와 산소 원자 1개로 구성된다. 중수소 원자핵은 양자수가 1이다.
248) Bertram Schwarzschild, Phys. Tod. 56, 24 (2003).
249) P. Mansfield, P. K. Grannell, J. Phys. C: Solid State Phys.

6, L422 (1973).
250) 장뇌 또는 캠퍼라고 부르는 물질. 원래 장뇌 나무의 나무껍질과 목재에서 추출된 가루이지만, 요즘에는 합성을 통해서 만든다. 분자식은 $C_{10}H_{16}O$이다.
251) P. Mansfield, A. A. Maudsley, T. Baines, J. Phys. E: Sci. Instrum. 9, 271 (1976).
252) P. Mansfield, A. A. Maudsley, Brit. J. Radiol. 50, 188 (1977).
253) P. Mansfield, J. Phys. C 10, L55 (1977).
254) R. R. Ernst and W. A. Anderson, Rev. Sci. Instr. 37, 93 (1966).
255) Anna Nowogrodzki, Nature, 563, 24 (2018).
256) J. Maranzano, M. Dadar, D. A. Rudko, D, De Nigris, C. Elliott, J. S. Gati, S. A. Morrow, R. S. Menon, et al., Am. J. Neuroradiol. 40, 1162 (2019).
257) Samuel J. D. Lawrence, Elia Formisano, Lars Muckli, Floris P. de Lange, NeuroImage, 197, 785 (2019).
258) Masoumeh Dehghani, Kim Q. Do, Pierre Magistretti, Lijing Xin, Magn Reson Med. 83, 1895 (2020).

찾아보기

원자를 만지다: 전자. 1권